EMBÂCLE

Martine Batanian

Embâcle

NOUVELLES

[FŒJ]

ÉDITIONS
MARCHAND
DE FEUILLES

Marchand de feuilles
C.P. 4, Succursale Place D'Armes
Montréal, Québec
Canada H2Y 3E9
www.marchanddefeuilles.com

Mise en pages : Roger Des Roches
Illustration de la couverture : *Rouge*, de la série « Moleskine girls »,
par Julia Bereciartu
Direction artistique : Isabelle Côté
Infographie : Marchand de feuilles
Révision : Annie Pronovost

Distribution au Canada : Marchand de feuilles
Distribution en Europe : Librairie du Québec/DNM

Les Éditions Marchand de feuilles remercient le Conseil des Arts du
Canada ainsi que la Sodec pour leur soutien financier. L'auteur
remercie la Ville d'Ottawa pour son soutien financier.

 Conseil des Arts   Canada Council
du Canada   for the Arts

Société de développement des entreprises culturelles
Québec

**Catalogage avant publication de Bibliothèque et Archives
nationales du Québec et Bibliothèque et Archives Canada**

Batanian, Martine

  Embâcle

  ISBN 978-2-922944-47-1

  I. Titre.

PS8603.A833E42 2008   C843'.6   C2008-941533-7
PS9603.E833E42 2008

Dépôt légal : 2008
Bibliothèque et Archives nationales du Québec
Bibliothèque et Archives Canada

MARDIN

❖

Je n'étais pas avec mon frère lorsqu'il est tombé.
Je ne suis jamais allée à Mardin. J'avais refusé
de l'accompagner, j'avais peur ; j'étais restée seule
à la maison avec, dans la main, la branche qui m'aurait servi d'arme si, devant le bouc, je ne m'étais
pas décidée à parler.

Dans le livre il y avait du feu et ce feu m'a brûlé
les doigts. L'enfant a pleuré, il était blessé. Une écriture du malheur, dans une file d'attente, à la bibliothèque. Je n'ai pas crié. Je suis restée fidèle au silence
de mes ancêtres et à leur peur devant la mascarade,
le mensonge qui, ils le savaient, allait les anéantir.
Je n'ai pas sourcillé, je n'ai pas levé les bras dans les
airs pour appeler Dieu ou le corps d'un autre, contre
lequel j'aurais pu me blottir et disparaître. Non, je
n'ai rien laissé paraître de ma rage lorsque j'ai lu, à
la bibliothèque, dans un guide de voyage comme tous
les autres, un guide publié en France, sur la Turquie,
qu'à Mardin les Arméniens n'ont jamais existé.

Je n'ai pas hurlé parce que ce qui n'est pas écrit
dans le livre ne s'est pas écrit en moi. Je ne savais

rien de cette ville, je ne savais rien de Mardin, rien qu'un point sur une carte, à la frontière entre la Turquie et la Syrie. On m'avait dit : *Comment veux-tu, petite naïve, qu'on revendique cette identité mardinienne si nulle part il n'est écrit que des Arméniens ont vécu, aimé et sont morts, horriblement morts, à Mardin. Chère enfant, a-t-on jamais un chez-soi lorsque la maison de ses parents nie notre naissance ? A-t-on jamais envie de s'installer quelque part lorsque le lieu de notre mémoire est un charnier, une tombe sans inscription ?* Et moi j'ai cru à leur lâcheté, à leur tronc sans racine, par désir. Oui, j'ai cru qu'ils voulaient être sans lien avec la terre ; qu'ils croyaient à leur supériorité. Je n'ai pas vu la douleur.

Ce qui n'était pas écrit dans le livre ne s'est pas écrit en moi, n'a pas été dit parce que la peur de ne pas être crue est parfois pire que celle de se faire mourir. Dans le guide, en l'an 2005, j'ai lu qu'à Mardin les Byzantins ont régné, que des princes arabes ont régné, et des dynasties de toutes sortes, des Mongols, des Perses, des Ottomans et des Turcs. Au bas de la page, comme un détail, on signale la présence historique d'une communauté syrienne chrétienne. « Au début du vingtième siècle, de nombreux chrétiens syriens furent tués ou chassés ». Ils n'étaient pas seulement syriens.

J'ai pris le livre avec moi comme une preuve, une preuve du désastre. J'écrirais à l'éditeur, je dénoncerais cette omission, cette négation qui nous plonge dans le noir. *Non, on te retrouverait, on te tuerait. Que t'importe aujourd'hui, toi, tranquille dans ta vie ici, qu'on reconnaisse ce passé qui te dépasse ? Vis, oublie.*

* * *

Mon frère veut aller là-bas, à Mardin. Je jubile. Nous irons à Mardin ensemble. Nous crierons dans les rues que les Arméniens sont revenus. Nous rirons, nous n'avons rien à perdre.

Mon père ne veut pas que ses enfants meurent à Mardin. *Votre voyage ramène à ma mémoire des images que je ne voulais plus voir.* Mais quelle mémoire, papa ? Quelle mémoire ? Dans le livre des touristes, il n'est pas écrit que ton père a appris son métier de tailleur à Mardin. Non plus qu'en 1915, notre famille a été déportée avec les autres Arméniens, forcée à marcher pendant des jours de Mardin à Ras El Ain, à El Kamechlé, à Alep. Puis à attendre dans le désert de Deir Zor qu'une main les détruise. Il n'est pas écrit que vos grands-mères ont survécu, sont retournées à Mardin après les massacres et que des étrangers buvaient le thé dans leur maison. Il n'est rien écrit de ce nouvel exil vers le Caire, où encore ils étaient de trop. Pas dit non plus qu'à Montréal, la neige leur rappelait celle de Mardin. Il n'est rien écrit et je n'en ai jamais rien su.

Il y a des morceaux de nous, papa, éparpillés à droite, à gauche. Et lorsque ma pensée se disperse, lorsque tout mon corps semble disloqué dans des angles sombres que je ne reconnais pas, j'oublie que je ne viens pas d'ici. Et que ces lieux sans repères sont les grottes où vos âmes se sont murées, en attendant d'être blanches. Car cette aventure, la musique assourdissante de cet exil, vous n'avez plus voulu l'entendre. Pourtant, dans chaque bouche je l'entends, derrière les mots et les silences. Il suffit d'un soupir pour que le désert de sable de Mardin me brûle les yeux.

Je ne suis pas allée à Mardin. J'ai eu peur, je ne voulais pas mourir à Mardin.

Quitte ton père et ta mère. Quitte la maison en guerre. Quitte Mardin.

Je n'étais pas avec mon frère lorsqu'il est tombé.

Je n'ai pas trouvé le courage d'aller à Mardin. Mon frère a envoyé des photos. Il est debout dans une ruelle occupée de la ville, construite à flanc de montagne. Il enfourche un âne et derrière lui s'étend un désert à perte de vue. Derrière lui, c'est la Syrie. C'est beau. Je m'efforce de rester devant les images, de ne pas les fuir. Elles résonnent si fort : j'ai déjà marché sur ces terres, j'ai senti l'air sec de ces paysages, je pourrais le jurer. Et encore, cette image, ces visages me disent quelque chose. Trois hommes sont assis dans un entrepôt ou un garage aux murs sales. On voit dans la pièce de grands sacs de jute ici et là, et un fouillis de casseroles, de tôles et d'outils de toutes sortes. Sur une petite table, devant eux, ils ont offert à mon frère du pain, du fromage et de l'eau. L'homme de gauche a le sourire et le regard tendre d'un gentil personnage de bandes dessinées. À droite, un vieux semble méfiant, dégoûté même. Pourquoi? Reconnaît-il les traits arméniens de mon frère? Dans leurs livres d'histoire, on leur dit que ce sont les Arméniens qui ont troublé la paix du pays. On prétend qu'il a fallu les déporter, les tuer pour le bien de l'empire. On enferme aussi les gens qui prononcent le mot génocide.

Est-ce moi qui ai le regard hostile? Est-ce moi qui vois dans le visage de ces hommes les bourreaux d'hier?

L'homme du centre a compris. Il regarde mon frère avec les yeux grands ouverts et un sourire en coin, discret. Il ne souhaite qu'une chose, que mon frère prenne sa photo pour enfin pouvoir lui demander ce qui lui brûle les lèvres. Mon frère se rassoit, mal à l'aise, il n'a pas aimé lui non plus le regard de l'homme du milieu.

— *Where are you from?*

Il connaît quelques mots d'anglais. Mon frère hésite, son corps se tend.

— *I'm Canadian.*

— *Oh!*

Les trois hommes ont compris et échangent quelques commentaires.

— *But you are not like an American. You know what you look like ? I will tell you what. You look like an Armenian,* déclare l'homme, avant de se lever et de sortir de la pièce.

— *Armenian ? Armenian ?* répètent les autres en le pointant du doigt.

Le vieux murmure quelques mots en turc. De la sueur, le cœur qui bat, mon frère dépose son verre sur la table.

— *No, I'm Canadian, completely Canadian.*

Il y avait dans son corps un enfant caché sous une table. Dans sa bouche, du feu. Le feu du livre qui m'avait brûlé les doigts.

J'aurais voulu écrire autre chose. Donner à mon frère le visage du courage. Mais mes mots restent secs, ils refusent de s'envoler. Ils restent sur le sol, rampent. D'ici je vois les chevilles et les chaussures, je vois les taches de sang.

Cette histoire n'est pas la mienne. Je ne suis jamais allée à Mardin.

Mon frère m'a téléphoné, il était tombé. Dans sa chambre, une femme le veillait. Il avait la fièvre, ne pouvait pas se tenir debout sans s'étourdir. *Ne dis rien à papa, ce n'est pas grave, sans doute une intoxication alimentaire. Mais je tenais au moins à prévenir quelqu'un.*

Nous raccrochons. Je n'ai rien trouvé à dire, perdus, oubliés les mots du réconfort. Je le rappelle. *Je vais te rejoindre. Je serai là rapidement, attends-*

moi. J'ai raccroché sans lui laisser le temps de refuser. J'avais retrouvé ma force, la colère. Devant le bouc je saurai parler, je ne prendrai pas d'arme, je saurai le regarder en face et lui rendre le sort qu'il a lancé à mon frère. Lui et moi ensemble, nous pourrons le dire. Nous pourrons dire qui nous sommes. J'aurais dû être à Mardin.

Quand je suis partie, j'ai emporté des valises et des sacs sans vérifier. Dedans il y avait le début et la fin, les morts et les vivants, j'ai tout pris avec moi. Je ramènerais tout à Mardin et j'enterrerais là-bas ce qui aurait dû l'être.

Mon frère n'était plus malade. Maintenant, c'était à mon tour de me sentir hors de moi, secouée par des étourdissements violents. Les valises s'étaient vidées en moi, les portes fracassées, les plombs, les absences et les tambours de leur victoire. J'avais volé son mal à mon frère pour le sauver et c'était lui, à présent, qui me réconfortait et me grondait d'être venue le rejoindre. *Allons nous reposer sur la côte méditerranéenne,* m'a-t-il proposé. Non, il fallait revoir cet homme. Et retrouver la maison de nos ancêtres ; j'avais avec moi le vieux plan de la ville avec le X que notre grand-père avait tracé sur notre propriété. Il était dans mon sac et il palpitait comme l'espoir.

Deux jours complets au lit, avec la fièvre et le froid dans les mains. La femme turque qui avait soigné mon frère est revenue. Elle m'a épongé le visage et préparé du bouillon; elle était comme une mère, c'était difficile. *Mon frère, peut-être après tout est-ce mieux de rentrer? Je ne veux pas mourir à Mardin.*

Il a dit: *non.* Il a pris ma main, il a pris mon bras, il m'a prise par la taille, il m'a poussée dans le pays. Je ne voulais plus le voir. Il était devenu fou. *Qu'il sorte de ma chambre!* Je fermais les yeux. Il a ouvert la fenêtre, dehors ça criait en turc, en kurde, on entendait des prières musulmanes et de l'arabe aussi, l'arabe des Syriens qui habitaient encore la ville. Ça sentait la viande et le safran.

— Regarde, c'était toi!

Il avait hurlé et je pleurais sur lui.

— C'était toi aussi!

Il s'est assis. La femme turque est sortie de la pièce.

— Pourquoi es-tu venue me rejoindre si tu restes là à ne pas exister? Sors, vas-y, dis-leur ce que tu as à dire! Moi je n'y suis pas arrivé, feras-tu mieux? Es-tu venue ici pour me faire la leçon? Maintenant tu es un fardeau, car je ne peux pas continuer mon voyage.

— Alors va-t-en, laisse-moi seule! Je me débrouillerai.

— Je ne te laisserai pas maintenant. Je veux te voir avancer, je sais que tu en es capable, je sais que tu es plus près du sol que moi.

Il sanglotait. J'aurais voulu que nous n'ayons jamais existé à Mardin. Je regrettais d'être venue.

— Je te connais, petite sœur, je me doutais bien que tu ne résisterais pas à ce voyage cette fois. Et oui, ta venue me faisait chaud au cœur. Avant-hier, c'était moi qui étais alité. Ce n'est pas toi qui es souffrante. Tu caches ce courage que tu as pour ne pas m'humilier, peut-être. Combien de jours attendras-tu ainsi avant de dire ce que je n'ai pas dit ? Il y a des patiences qui ne sont pas les nôtres, et qu'il ne faut pas accepter sous peine de se soustraire. Es-tu Arménienne ou pas ? demanda-t-il en se rapprochant de la porte. Sais-tu comment on enlève une écharde ? D'un coup sec. Demain matin, je t'attendrai en bas, au café. Mes mots aujourd'hui sont fatigués.

C'était d'une violence inouïe. Rien ne pouvait se dérober et ce mal qui me forçait à l'inaction a bel et bien pris fin au lendemain de notre conversation. À sept heures, j'étais debout et prête à descendre au café. Il n'y avait que des hommes. Mon frère n'était pas encore là. J'ai commandé un café, je n'avais pas peur. Dans le ciel, un oiseau planait. J'ai entendu des chants d'enfants et des prières que n'ont jamais chantées mes ancêtres. Un autre oiseau, rouillé, était posé sur ma table. Un vieux bibelot de métal qui enlevait l'envie de s'attarder ici. Mon frère est arrivé la tête haute. Sans parler, il a bu son café et mangé quelques sablés offerts par le cafetier. *Il s'appelle Monsieur Dokuyuvu. Allons-y.* En partant, le cafetier m'a tendu l'oiseau rouillé en disant que ce Dokuyuvu était le ferrailleur de la ville et que cet oiseau, il fallait qu'il s'en débarrasse, car il faisait peur aux touristes. Le métal était chaud et la rouille a taché ma main.

Avant de franchir la barrière qui clôturait sa maison, je me suis arrêtée. J'ai regardé mon frère et je l'ai serré dans mes bras, en le remerciant. Nous allions bientôt entrer dans la maison du bouc et signaler notre retour, pour la paix. Maintenant, nous étions deux. *Viens, mon frère, il est temps d'enjamber les bûches vertes, moisies, placées devant sa porte. Nous ne resterons pas pris entre leurs os.*

C'est un appartement

❖

Quatre pièces. Un appartement de quatre pièces, ce n'est pas grand. Pourtant, ici, on se perd.

On se perd et on se tue.

On ne se regarde pas, on ne se touche pas, mais on reste. On reste ensemble malgré tout, même si on n'est pas bien, même si on étouffe. On reste ensemble. On ne défait pas la chaîne, sinon les autres pourraient tomber. Et on ne veut pas être responsable de la chute des autres. C'est ce qu'on croit, c'est ce qui nous empêche de reconnaître notre faiblesse. Mais elle, elle s'est enfuie. Il y a des jours qu'elle a disparu, et dans chacune des pièces des femmes l'attendent. Des femmes-mères, au regard perdu vers l'extérieur. Des filles à leurs pieds, accrochées à leurs bras pendants. Des petites qui ne voient rien, emmurées par les corps massifs des mères. Parfois, l'une d'elles croit se ressaisir, elle se met à genoux devant son enfant : *est-ce que tu m'aimes* ? Ce ne sont pas les filles qui tuent les mères.

Alors tu as pris ma main et tu as dessiné les lignes de ta vie.

C'est un appartement de quatre pièces et l'on entend, dans l'une d'entre elles, une femme chanter tout bas. Elle n'a pas de nom. Elle fredonne un air qui n'existe pas. La télé est allumée, mais on a coupé le son. Le signal est parasité, l'image brouillée. La femme se tient debout devant une grande fenêtre et quand on entre dans la chambre, elle se retourne et se détourne sans surprise, sans cesser de chanter. On ne la dérange pas, rien ne la dérange plus. Dans la rue, un chien court, elle le suit du regard. Cette femme donne envie de crier. Alors, on sort. On peut sortir.

Une lueur, provenant de la cuisine. Un silence énorme à l'intérieur, un silence qui fatigue. Une bonne odeur, aussi. Le ronflement du réfrigérateur, la berceuse du bouillon sur le feu et ce soleil qui écrase, qui apaise. On veut bien s'asseoir un moment. On resterait ici des heures, on vivrait dans cette pièce, collée contre le four, contre la chaleur de son ventre. À hauteur d'enfant, le regard d'un petit garçon nous apparaît là, caché entre le comptoir et le vaisselier. Il vient vers nous, se réfugie dans nos bras. *J'ai peur.*

Il n'y a rien à dire. Les garçons ne sont pas avec les mères et les pères sont partis. Nous sommes dans un autre temps.

• • •

On doit continuer. Marcher dans cet appartement pour l'après, pour pouvoir dire. Raconter comment, ces jours-là, elles étaient seules. Dire comment elles ne criaient pas. Dire que voilà, voilà pourquoi les cris sont restés accrochés, collés aux murs. Des cris secs dans la maison qui dure encore.

En entrant ici, on croyait mettre son manteau sur un crochet, mais c'est sur un cri qu'on l'a posé. Et il nous a griffés. Ce sont des cris qu'on ramène avec soi lorsqu'on sort du logement, pas d'amour, seulement des cris qui brisent notre maison à nous. Est-ce que ça durera encore longtemps ?

Les cris sont loin mais leur écho résonne. Les cris sont nés dans un endroit que je ne pourrais pas décrire. Un endroit que plusieurs mères ne peuvent pas nommer. Elles entendent les cris, elles ferment les yeux et des aigles volent au-dessus de leur tête. Alors leurs poings se serrent, et dedans, les mains des petites filles se cassent.

• • •

Il y avait la pièce morte avec cette femme qui chantait, qui chantait pour les morts. Elle avait oublié sa fille sur le sol, obligée à l'enfance.

Il y a eu la chambre du sommeil, dans la cuisine, avec le garçon dans le vide, le garçon vide, près du four et de moi, qui ne sais pas. Qui ne sais pas plus que les autres filles.

Répéter. Répéter. Répéter. Je ne suis capable que de ça, répéter.

• • •

Deux pièces, encore.

Dans la salle à manger, les meubles sont vieux et sombres, les rideaux ne laissent pas entrer de lumière. C'est la chambre des prières, des lamentations. Pourtant on n'entend rien. Une femme est assise à une grande table, les mains dans le visage, les coudes appuyés sur de la dentelle blanche. Elle ne pleure pas, on dirait qu'elle essaie de comprendre quelque chose. Lorsqu'elle trouvera, elle enlèvera les mains de son visage, elle se lèvera et ira aimer un homme. Mais ça n'arrivera jamais.

Tout est noir, sauf cette dentelle qui éclaircit le tableau, et son jupon dont on voit l'ourlet.

Elle est belle. Elle n'est pas le personnage d'un musée de cire. Ses pieds sont collés sous la table, ils ne bougent pas.

Elle sait qu'on la regarde. On entend des soupirs. On souffre du chatouillement dans sa poitrine. *Partez. Laissez-moi seule. Je n'ai tué personne.* Des briques se sont accumulées autour d'elle, une tour, une forteresse, on ne la voit plus.

Dans la dernière pièce, on n'a pas pu, pas voulu entrer. On entendait de minces plaintes, fragiles et aiguës. La porte était verrouillée. Dans notre main, il y avait la clé mais pas le courage.

Contre le mur de cette chambre, on s'est assis et on a écouté les chuchotements. Une bouche droite et bien fermée, d'où ne sortait aucune parole, est apparue. On a traversé le mur, on est entré à l'intérieur de cette bouche. Il y avait des escaliers qui tournoyaient. Des enfants se tenaient autour d'une femme, offerte comme un sacrifice. Elle pleurait. Des garçons et des filles frappaient son ventre. Ses mains étaient attachées sur la table et un homme, très fort, tenait une perche qui la rendait prisonnière. Ses seins étaient écrasés contre le bâton de bois. Ce n'était plus notre aïeule, mais un lit de paille, un feu, un désastre.

Tu ne peux rien faire.

Dans la dernière pièce, une vieille femme est assise et gémit. On lui prend la main.

Ma cousine

❖

Est-il possible de mourir à la place de quelqu'un, de disparaître en emportant son fardeau, tout le chagrin dont on l'a dépossédé pour le
voir sourire ? Est-ce cela que tu voulais faire pour ta
mère, Sossie ? Sa peau nette est effrayante. Et ton
père, assis dans le coin, seul, la regarde aller d'invité en invité pour leur dire comment elle t'a ai-
mée, désirée, et pourquoi, pourquoi donc, n'a-t-elle
rien vu. Les gens répondent, *on ne peut pas de-
viner ces choses-là, ce sont des maladies silen-
cieuses, ta fille n'était pas comme les autres.* Et
moi, je reste près de toi pour qu'elles n'essaient
pas, ces femmes qui sont de notre famille, de te
voler une fois de plus.

Je voulais être la plus belle ce matin, pour tes
funérailles, cousine, très belle et très forte en moi.
J'ai emballé ma colère dans du papier de soie. Ma
main la surveille mais si cela était nécessaire, je la
lèverais très haut, je crierais, je pourrais le faire.
Je voulais être forte alors j'ai mis des bas résille et
une robe noire, moulante. Mes cheveux sont relevés

en chignon, des mèches tombent sur mon visage, je n'ai pas fait attention. Je suis impolie, je ne sais pas vivre en société, c'est ce que mon père m'a glissé à l'oreille comme un secret. Si j'avais été docile, Sossie, je t'aurais ressemblée. Je t'admirais mais tu étais trop sage, et à suivre sans cesse les doigts qui pointaient vers le vide, tu t'es écartée de toi. J'ai réussi, je suis la plus belle et les hommes me regardent. Je voudrais leur sauter dessus, les éplucher, les embrasser pour faire tomber toute cette mascarade. Qui donc se souciait de ta tristesse ? Personne ! Mes poings se sont serrés, les aînées le remarquent et leur tête fait non comme celle des maîtresses d'école qui se croient toutes-puissantes. De haut en bas, elles m'examinent, ma mère, la tienne et nos tantes. Depuis ta mort qu'elles me rebattent les oreilles, *vous vous ressembliez tant, comment se fait-il qu'elle n'ait pas eu ta vivacité, ton caractère, la nature est bien mal faite, elle donne tout à l'une et rien à l'autre.* J'ai envie de leur cracher au visage. Tu rirais, n'est-ce pas, tu me dirais méchante et tu rirais timidement en imaginant tante Maro avec ma salive dégoulinant sur son maquillage. J'aimerais te voir rire, Sossie, mais je n'aurais pas voulu te donner ma vie. Elles ne se rendent pas compte, celles-là, qu'elles tournent en rond en se gavant du malheur de chacune. Je veux être moi sans faille parce que – je n'ai pas eu le temps de te l'annoncer – depuis quelques semaines je porte en moi un petit miracle et je ne veux pas nous trahir. C'est là-dedans, tout à côté de la colère, et je sais que ce caractère qu'on a essayé de casser lui servira aussi. Avoir une maman en colère, qui crie et qui dit les choses, ce doit être bien. J'aimerais être cette mère, mais qui sait ce que je deviendrai, Sossie, je n'avais pas prévu te perdre.

Je pleure. Mes larmes coulent, des regards se tournent vers moi. Je ne veux pas de leur réconfort, pas de la main de ta mère dans mon dos, gardez vos fausses gentillesses, vos gestes périmés. Je suis méchante, je suis indécente, laissez-moi tranquille, une innocence m'occupe et je refuse de vous en parler. *Ce n'est pas une tenue normale pour un jour d'hiver*, dit le prêtre d'un ton bienveillant pendant qu'on jette sur ton corps de la terre noire. Les invités s'avancent, leur bras s'élancent lentement, poliment d'abord, et pareils à des pelles mécaniques, les doigts relâchent leur étreinte et laissent tomber des fleurs. Mais pour les femmes de notre famille, le mouvement se poursuit. Une partie de leur âme virevolte et descend au fond du trou avec toi, c'est leur laideur qui veut s'enfuir. Encore, l'espace qui reste, elles le possèdent. Ta mort leur profite, Sossie, tu le savais? Pourras-tu respirer, parmi tous ces morceaux de vies ratées? Mon ventre, une secousse, ma main sur mon ventre, je voudrais hurler pendant que maintenant les employés du cimetière t'enterrent. Et ta mère qui pleure en me regardant, criant encore à l'injustice, s'excusant auprès de sa sœur, ma mère, puis ses bras autour de moi comme si j'allais te remplacer. Non, je ne ferai pas ça.

C'est assez, je ne rentrerai pas avec elles, n'insistez pas, je veux marcher seule, ici, je resterai ici. Non, je n'ai pas froid, je n'ai pas faim. Quel âge avait Sossie ? Elle venait d'avoir vingt-huit ans ; comme moi. Après toutes ces années d'existence, je suis parfaitement capable de savoir quand j'ai faim, quand j'ai soif, froid, et quand je n'en peux plus d'être avec vous. Mon insolence vous fait mal, vous n'avez pas besoin de ce genre d'attitude en ce moment, vous aimeriez avoir une fille, une nièce douce comme un chaton pour vous coller contre elle et déposer entre ses pattes toute la peine du monde. Partez, laissez-moi m'occuper de moi. J'ai crié, le prêtre a demandé à me parler, j'ai dit, allez avec elles, mangez ensemble, elles cuisineront pour vous. Les yeux de ma mère, son visage neutre, seulement ses yeux dans mes yeux comme si elle croyait pouvoir par ce seul regard me défaire et me reconstruire selon ses désirs, en quelques secondes. Non, non. Quelque chose ne va pas, maman ? La colère, elle est partout maintenant. Qu'est-ce qu'il y a ? *Rien, rien.* Ma mère s'enfuit en esquissant un sourire en toc. Je leur fais peur, Sossie, tu le disais toi aussi, je leur fais peur et c'est pour ça que tu aimais être avec moi.

Le silence, la blancheur, il y a des oiseaux ici. J'ai froid mais c'est bon, ma peau se calme, le soleil la désire, elle pétille. Je suis toute seule, avec toi qui n'es plus là. Je n'ai pas peur ou peut-être si, un peu. Les hommes n'ont pas terminé de refermer le trou, je pourrais me rapprocher de ton corps, mais je préfère rester dans mes traces et t'imaginer face à moi avec tes mains nerveuses, qui déchiraient les serviettes de restaurant, les billets de métro, toutes ces petites choses en papier. Tu faisais pareil avec tes poésies, déchiquetées, rayées, annulées, toujours. Elles étaient parfaites, tu les avais réécrites des dizaines de fois mais tu t'obstinais à vouloir faire mieux, jamais elles ne sortaient de ta chambre. Tu changeais toujours d'idée, comment se fait-il que cette fois-ci tu aies persisté ? Excuse-moi, je dois bouger un peu, mes mains sont... Un fou rire, mes mains... J'ai mis les petits gants de cuir noir que tu m'avais offerts à mon anniversaire, il y a si longtemps, lorsque je voulais ressembler à Madonna. J'ai l'air ridicule. Tu t'esclafferais, tu chuchoterais doucement que je me suis déguisée. J'entends ta voix, *va doucement, cousine.* Tu as raison. Je voudrais marcher maintenant, m'éloigner de toi un tout petit peu, n'aie pas peur, je reviendrai, je veux aller toucher les arbres là-bas.

Depuis hier, je me suis mise à t'écrire. Tu le faisais aussi, tu écrivais pour percer le mystère des femmes de notre famille, mais tu te perdais. Lorsque nous étions ensemble, tu luttais pour te dégager des ronces et tu y parvenais, tu te libérais de cette deuxième peau et nous finissions par discuter. Je demandais, tu as écrit hier? *Oui, j'ai écrit sur...* Et nous prononcions le nom ensemble, *Lydia*, *Tara* ou *Maro*. Je devinais. C'est à moi maintenant d'essayer de connaître le visage qui t'a terrassée, de distinguer la voix qui t'a anéantie. Je n'irai pas aussi loin que toi, tu as toujours joué avec le feu, même petite tu voulais sans cesse t'engouffrer dans les sentiers de la forêt. Tu marchais sur la glace, confiante, en espérant entendre le bruit des craquements sans te laisser emporter par les failles. À ce moment-là, ta vigilance ne te gâchait pas encore la vie. Moi je criais, le jour tombe, je grelotte, j'ai peur, rentrons! Mais tu courais, tu courais sans m'écouter et je te suivais pour ne pas être seule. J'aimerais te comprendre, Sossie, expliquer un jour pourquoi ta vie a pris fin abruptement, mais je ne veux pas me perdre dans les bois. Mes pas ne sortiront pas du chemin, je suis plus prudente que toi; tu t'en moquerais. J'aime percevoir le bruit des voitures lorsque je m'aventure là où je ne suis jamais allée, parce que je ne sais pas ce qui fourmille sous les roches que je soulèverai. Mes mains tremblent, mes pas s'arrêtent parfois dans la neige et je me ressaisis, nous sommes dimanche, je suis Charlène, future mère et cousine endeuillée, et je ne suis pas folle parce que j'arrive à penser aux citadins qui marchent vers leur cordonnier, leur bijoutier, et à ceux qui vont chercher leurs enfants à l'école. La vie est juste à côté pendant que je sillonne la mort, le bruit de la rue est un fil qui me retient dans ce monde, Sossie, et je ne te permettrai plus d'en rire.

J'y arrive. Il est là, le chêne que j'avais choisi, plus très loin maintenant. Il est beau, grand, tu l'aimerais, tu pourrais te cacher derrière tellement il est large. J'ai envie de me blottir contre lui, qu'il me prenne dans ses bras. Je ferme les yeux, ma mâchoire se relâche, mes épaules aussi. Respirer. Le froid, la beauté, le murmure d'une source tout près. Desserrer les poings.

Je t'entends comme si tu étais encore à côté de moi. Où es-tu ? J'avais posé ma tête sur le nœud de l'arbre, mais maintenant que je le regarde de plus près, on dirait un trou noir, un œil, une bouche. Es-tu dans ce nœud, Sossie ? Si j'arrive à me glisser sous la terre avec toi, me confieras-tu les douleurs que tu as cachées pour renaître ensuite ? Stop. Rester dans la vie. Écouter le bruit des camions, respirer, ressentir le froid de la neige sur mes fesses, mon dos, ma tête.

Jamais je n'y arriverai. Je n'arriverai jamais à t'écrire, Sossie, moi qui ai peur d'avancer seule dans la blancheur. Alors je répète ton nom, j'entends ton nom avec ma voix qu'on disait trop grave pour une voix de petite fille si bien qu'entre nous deux, c'est moi qui jouais au garçon lorsque tu étais Cendrillon. J'aurais dû te sauver, Sossie? Non, tu dirais non. Je l'écris dans la neige.

HIPPOCAMPE

❖

L e bruit de l'eau ressemble à un sentiment libéré. Il tourne en nous, se plie, se déplie, puis il tombe. Hier, à la marée montante, j'ai vu ton ombre sortir de l'eau. Tu ne parlais pas, tu ne me regardais pas, mais ton bras était tendu vers moi ; et dans ta main s'accrochait un minuscule hippocampe. C'était celui que mon frère gardait sur sa table de nuit. Tu l'avais ramené vivant, avec attaché à son corps un papier, un message, roulé en cigarillo. Tu m'as donné l'animal et tu es retournée sous l'eau, encore pour toujours. Comment savais-tu que j'attendais un signe de toi ?

Il n'est pas rare de voir se jeter à l'eau des êtres fragiles. Encore moins des lambeaux de voix, de ces voix qui ne portent plus et qu'on abandonne. On les noie pour ne plus les entendre, on les fait disparaître. Je voudrais parfois chercher auprès de tous les disparus les réponses que la vie ne me donne pas. Ce vent serait-il le sifflement de l'homme que j'ai croisé un jour sur le pont et qu'on a ensuite retrouvé dans le fleuve ? Essaierait-il de me dire que bientôt mes souffrances prendront fin et que, comme lui, je sauterai dans le vide ? Le bruit de l'eau est insupportable dans la noirceur, lorsqu'on ne sait pas ce qu'il emporte de nous. Notre faiblesse : dans la rue on peut la cacher, dans l'eau c'est plus difficile. Tu as dit : *Reste un peu avec moi, reste sur la berge le temps que je plonge à nouveau dans l'eau, puis tu partiras faire ta vie.* Tu voulais être certaine de ne pas être vue de celles qui nient ta vie en cachant ta mort. Je t'ai regardée couler et j'ai avancé vers le large à mon tour, convaincue de pouvoir pour une fois mettre ma tête sous l'eau sans étouffer, sans paniquer. J'y suis parvenue.

Je nageais le corps allongé, souple, sans frisson, sans lassitude. Je sentais le froid sur mes lèvres, et je contemplais toutes ces couleurs, la cornaline, le jaspe, la turquoise. L'hippocampe, fidèle, s'était accroché à mes cheveux. Je lirais son message plus tard.

Ce qui m'intriguait à ce moment, c'était une femme que j'apercevais au loin. Tu étais là, c'était toi, avec ta robe vaporeuse, ton corps flou et léger comme celui des danseuses sur les photos de Brigitte Henry. Tu ne me voyais pas, tu tournais sur toi-même en repoussant les courants des histoires anciennes qui tentaient de te ramener vers moi. D'autres forces voulaient t'effacer en te cachant sous la terre qui est sous l'eau, tu résistais à tout cela, tu voulais rester loin de ta vie et loin de ta mort. Alors moi, j'essayais de te rejoindre dans cet entre-deux, j'avais des questions à te poser. Le sais-tu, les aïeux racontent toutes sortes de choses à ton sujet ? Que tu étais la plus belle, la plus laide, que tu étais folle. Tu es devenue, dans le secret, le morceau de pain qui reste dans la gorge et dont on dit ensuite qu'il avait des arêtes.

Te rends-tu compte, tout de même, qu'en te jetant à l'eau pour mourir, tu as légué quelque chose de terrible. Chacun pour soi, lorsque nous regardons les vagues courbées comme la ferraille, elles nous dévorent. La mer est devenue cette déchaînée d'Aivazovsky ou de Turner. L'eau scintillante de Monet, les paysages de Thomson, les piscines bleues sont des mensonges qu'on raconte aux enfants. Mais ils vieillissent, pour notre malheur ils vieillissent, et ton souvenir les pénètre sans même une parole. C'est alors que je verse de la cire rouge sur une chandelle blanche en disant : c'est le sang qui coule dans le lac. C'est ainsi que je me souviens de toi.

Mais je ne le dis pas. Devant les autres, je fais semblant que toutes les eaux sont vives, que toutes les eaux sont naissance. Je ne t'accuse pas. Je ne peux pas le faire en te voyant ici, avec ta peau blanche et tes mains affolées. Puis ton ombre a été bonne de me donner un présent. Qu'est-il donc écrit sur ce parchemin ? Hippocampe, viens, viens que je te débarrasse de ces mots. Rien, sur le papier, il n'est rien écrit.

Tu le sais, et tu continues à danser sur place pour m'empêcher de te toucher et de voir ton visage.

Moi je te regarde en pleurant, je ne sais plus comment revenir sur la berge. Je t'ai suivie, j'ai cru pouvoir comprendre, mais l'eau je ne la connais pas, je n'ai pas de prise ici, et bien que tu sois là devant moi, c'est comme si j'étais seule. Je dois me débrouiller seule. Pourtant tu es là, ma grand-tante, morte de t'être fait mourir, et dans ton au-delà tu ne peux rien pour moi, tu fais semblant que je n'existe pas. Ta mort n'a pas apaisé ta violence. Mais il reste de la vie en moi! Regarde-moi!

Je suis loin de la rive, je suis seule, mais je sais que j'existe parce qu'en fermant les yeux, j'entends les cris des pélicans, je ne suis pas si loin du monde vivant. Je te cherche et tu n'es plus là. Et tout d'un coup je me dis, voilà, voilà pourquoi : tu n'es plus là, tu me cèdes ta place, tu cèdes la place à ce que tu souhaitais me voir construire. Le terrain est vaste. Dire joie. Dire : je n'ai plus besoin de ton ombre ni de ton corps, vrai ou faux. Descendre au plexus solaire et sentir l'accalmie irradier jusqu'à mes doigts. Merci. On m'avait dit que je jouerais du piano plus tard. Plus tard, j'écris. Avec le clavier, les touches portent des clés, des mesures, c'est une musique dont je ne me lasse pas. Grâce à elle je t'entends, je t'écris en secret. Tu es en moi, vivante. Tu as nagé vers le noyau de la terre, tu attendais quelque chose, quelqu'un. Et maintenant tu rejaillis dans la lumière.

FORCEPS (LIESSE)

❖

L'enfant ne peut pas naître là où la douleur a été. Entendez-vous les oiseaux qui chantent? La course de l'orignal? L'arbre les entend. Il distingue leur cri de leur souffle. Il voit les couleurs, il retient sa respiration. On peut se consoler de la mort d'un enfant près d'un arbre. Certains s'en servent aussi pour mourir.

Près de la maison de bois, il y a un saule qui grandit. Il occupe le ciel, s'en empare au détriment des autres. C'est un monument. Mes bras ne parviennent pas à en faire le tour. Je voudrais ne partager cet arbre avec personne. À quelques mètres de lui, assise sur un banc, j'observe les autres, les peupliers. Ils s'alignent sagement, rangés comme des colonnes, tous pareils. Mais l'identique ne protège de rien. Ces arbres tremblent. Au moindre courant d'air, leurs feuilles se frappent comme des castagnettes. C'est une musique qui m'est familière.

Je voulais parler des arbres, de la lumière qui passe au travers. De leur chuintement, de la liberté des feuilles de cime. Quand on se repose, les bras pendants, quand on ne demande rien, parfois, on leur ressemble.

Tu m'as donné rendez-vous ici. Je t'ai dit : choisis un arbre et je t'y rejoindrai. Ils sont tous beaux, tous aimables. Tu m'as parlé de l'arbre aux racines découvertes, qui tient en suspens entre la terre et le ciel, soutenu par de grandes racines qu'on voit du chemin. *Je te parle de l'arbre seul dans le vide, le vois-tu ?*

Oui, bien sûr, tu m'as parlé du seul arbre ici qui me fasse peur.

Tu voulais prendre des photos : moi, entre ces racines longues et tordues. Tu disais qu'elles pourraient accompagner mon texte sur les arbres. Je voulais parler des feuilles diamants dans la lumière de cinq heures, de leur danse, des branches avec lesquelles on se lie d'amitié.

— Vas-y, place-toi à sa source. Salis-toi pour une fois ! Tu restes des heures à admirer les arbres se mêler au ciel, mais leur moitié captive, tu l'ignores. Comment te sens-tu, prise entre ces doigts, entre ces voix du dessous ?

— Ne me force pas à le faire. Je préfère grandir avec les branches. Ne pas être obligée de regarder la mort. Je voudrais créer, être neuve.

— Elle est là ta faute, il te faudrait baisser la tête sans courber le dos. Ces racines nues ne sont pas la mort. L'arbre veut vivre. Écoute-le.

Mon projet, je le voulais tout en douceur et tu le savais. Je t'avais dit que je désirais ce texte comme un visage ouvert, paisible. Combien de fois t'avais-je répété qu'il me fallait sortir de la noirceur, marcher là où je voulais vraiment aller ? Mais tu revenais avec tes sempiternelles volontés de réconciliation.

Lorsque je marche sur ce chemin, tous les jours, de loin, j'appréhende l'arbre aux racines découvertes. Il me dérange. Alors je garde les yeux rivés au ciel, qu'il soit bleu, blanc ou gris ça ne change rien, j'espère mieux, je souhaite autre chose. Les arbres m'ouvrent la route, déploient leurs ailes. Ce sont des parents qui m'accueillent. Même si je rentre laide ils disent oui, les arbres sont mes consolations ; je ne veux pas de photo de famille.

— Tu as écrit que *l'enfant ne peut pas naître là où la douleur a été.* Que veux-tu donc que je comprenne ? Des lianes te retiennent encore, mais de toute évidence, tu ne l'acceptes pas. Je ne prendrai pas de photo. Je rentre. Mais promets-moi que tu resteras assise près de ces racines qui n'ont, quand on les touche, rien de bien effrayant.

Tu t'en vas, maintenant. Tu avances dans les zones de lumière en caressant les écorces et tu ne vois pas le lézard qui te suit. Je suis seule, les deux mains agrippées à une racine. Si c'était ton bras, il porterait les marques de mes ongles. Je ne veux pas me mettre nue devant elles. Je ne veux pas les regarder comme si elles faisaient partie de moi. Elles sont laides, vieilles, tachetées de brun et de rose : je crois qu'elles sont malades.

Je ne viens pas de cet arbre-là. Je viens de l'autre là-bas, à la charpente régulière et au port gracieux. Ne te retourne pas. Ne me regarde pas pendant que je suis faible. Laisse-moi m'inventer des histoires. Tu m'as conduite à la bête du parc, la seule qui s'entête à grandir hors de sa terre, pourquoi ? J'aurais mangé avec toi dans les clairières, sur une nappe à carreaux, si tu l'avais voulu. Un arbre n'est pas un homme. Nu, il défonce le ciel, complètement nu, il avance. Tu m'as amenée jusqu'ici, crois-tu donc que j'en suis capable ?

Tu as oublié ton sac dans le chemin. Je l'ouvre parce que je suis en colère et que j'aimerais trouver en toi une faille pour me venger. Je découvre une bouteille d'eau, des crayons de couleur, une photo de nous où tu me tiens par la main pendant que j'essaie de garder l'équilibre sur une ligne continue. Nous rions, ce n'est qu'un jeu. L'ombre ne m'a pas encore encerclée et le trait est peint à même le sol. Aujourd'hui, je marche seule sur le bord d'une falaise et ta main n'arrive plus à rejoindre la mienne.

L'enfant n'est pas celui que tu crois. L'enfant, c'est moi. Encore, à mon âge, je n'arrive pas à naître, le comprendras-tu ? Il y a encore trop de ronces, et je marche les mains devant, comme une aveugle, en déchirant ces toiles qui résistent à la joie. Une femme est passée devant sans les détisser. Ma mère. Elle s'est faite petite, elle est parvenue à se faufiler entre les mailles en s'écrasant, en devenant une autre. Il y a tant de travail à faire que parfois, je préfère regarder les oiseaux briser le ciel. Défaire, casser, rompre l'embâcle. L'enfant ne veut pas naître là où il y a douleur. Mais elle pénètre chaque mois, chaque jour. Elle est partout, partout derrière. Et plus j'avance, plus le fil de la douleur se tend. Je le tiens dans ma main. Si je le lâchais est-ce que je tomberais ?

Peut-on forcer quelqu'un à naître ? Tu dirais oui. Oui, si dans son corps, un membre résiste à la mort. Ce ne pourrait être que le petit doigt, mais s'il bouge, il transformera l'ordre du monde. Alors il faut l'écouter, déchirer la toile, tuer la mère. Certaines personnes, ajouterais-tu, ont besoin de naître de force parce qu'elles craignent d'être responsables de tout. Tu es restée trop longtemps cachée, ton corps est rond, difforme, et tu t'accroches maintenant derrière avec le même entêtement que tu as mis à survivre. Alors quelqu'un doit t'enlever la couverture sale que tu traînes depuis l'enfance. Tu cries, tu t'agites, cette nouvelle souffrance prend toute la place. Voilà que la maison et l'histoire, le paysage et la chambre sont à refaire, patience.

Mon nom n'est pas douleur. Un tableau se dessine. Il y a des arbres, du ciel et une maison de bois. Il y a toi qui m'attends et espères. Lorsque je marche les bras contre le corps, alanguis, lorsque je cesse de me battre, de me débattre contre toutes ces mains qui me dirigent, me conseillent, lorsque je les ignore en écoutant le chant des oiseaux et celui des enfants qui naissent derrière les nuages, je me rends, j'y arrive. Tu m'as rejointe dans cette forêt pour me faire douter, car tu savais que j'avais besoin de croire.

Je ferme les yeux et l'arbre se déchire. Je les ouvre, je ne fais plus partie de ce jeu. Dans la pénombre, mes pieds sur le sol. Dans la lumière, ta main dans la mienne. Et les arbres qui rient. Avec leurs cheveux.

ENFANT UTILE

❖

Au bord d'un lac, dans la terre brune remuée par les vagues, est assise une enfant de quatre ans. Soline, enfant utile. Je lui souris, elle n'a pas peur. Elle attend des bateaux. Je n'attends rien. J'observe son corps de quatre ans, sa nouveauté, sa douceur, les promesses qu'il contient. Je voudrais parfois retourner dans ce corps.

Elle parle peu. Elle construit avec des morceaux de bois une cachette pour les soldats partis à la guerre : *Les soldats-fourmis qui rentrent à la maison après leur long voyage en mer.* Le son de sa voix la gêne : *J'ai une voix de garçon.* Des grains de sable brillent sur ses paupières.

Que fais-tu seule ici, Soline, raconte-moi. Dis-moi tes jeux, tes amies de jardin, dis-moi quel animal te fait peur la nuit. Raconte-moi ce que tu ne dis à personne. Je ne pourrai pas t'aider, mais au moins tu te seras entendue prononcer ces secrets et tu sauras qu'ils existent.

Rien à faire, elle creuse la terre en la frappant. Mais regarde tes mains, c'est toi qui te blesses en serrant les poings si fort. Avec qui te bats-tu ? *Les fourmis se disputent parce qu'elles sont trop habituées de faire la guerre,* explique-t-elle. *Elles marchent les unes sur les autres. Elles pleurent parce que leur maman est partie.*

Soline, tes histoires se mélangent. À quelle heure tes parents viendront-ils ?

Il n'y pas de temps ici. Il n'y a pas d'heure à laquelle elle viendra. Elle est ici, elle n'est pas partie, mais elle n'est pas là. Elle n'est pas avec moi. Elle dort dans sa chambre, dans la maison là-bas. J'ai essayé de dormir avec elle mais je n'étais pas fatiguée. Mes jambes voulaient bouger et une brûlure dans ma poitrine me faisait mal. Je me suis levée pour boire du lait.

Elle retourne aux insectes, puis à l'eau, au ciel. La tête haute, elle dit : *Ça fait du bien d'être dehors.* Je souris. J'aimerais être à l'intérieur. Quand je ne suis pas bien, je traîne, je marche, je m'égare en attendant qu'un vieux sage me guide, mais je ne le rencontre jamais. Aujourd'hui, je croise cette petite fille à qui je devrais, moi, transmettre quelque chose.

Comment tu t'appelles ? J'aurais envie de lui répondre que moi aussi je m'appelle Soline, enfant utile ; mais je refuse de lui montrer mon fardeau. Elle le prendrait, je connais ce genre de petite fille. Je ne lui dirai rien de moi, pas même mon prénom. J'en inventerai un. Tiens, je m'appelle Homé. Elle ouvre grands les yeux, surprise. Comme moi, c'est la première fois qu'elle entend ce prénom. Elle ne dit rien, par politesse. Elle a retenu tout ce qu'on lui a enseigné, tout ce qu'on lui a caché aussi. *Pourquoi restes-tu ici, avec moi? Pourquoi es-tu triste?* Je ne voulais pas te laisser seule, Soline. On ne laisse pas une enfant de quatre ans seule au bord de l'eau, même si dans son désir d'être seule elle nous contrarie. Mais j'avais aussi besoin de toi pour me voir. Alors quelqu'un se sert encore de toi.

Ça ne s'arrêtera donc jamais? Attends-moi, Soline. Je vais hurler là-bas, derrière la falaise, et je reviens. Mon cri ne doit pas t'appartenir. J'ai été moi aussi une enfant utile. Je viens moi aussi de cette maison, toujours trop près. Le jour je soignais les vivants, la nuit je priais les morts. *Est-ce que tout le monde va bien? Enfant utile, reste aux aguets. Allume le cierge. Va dire à ton père que ta mère est en colère parce que... Vite! Essuie les larmes de ta mère, cours! Compte les cris, surveille les silences et obéis à cette voix qui ne te laisse pas tranquille: lève-toi, mais lève-toi donc! Ta famille a besoin de toi. Non, reste au lit pour une fois! Ne comprends-tu pas que ta mère veut être seule?* Soline, comment fais-tu pour garder ton visage?

C'est fini, viens, allons nous amuser. Nous construirons un château de sable et je te montrerai comment faire jaillir l'eau de tes mains. Tu ne veux pas? Tes yeux sont accrochés à tes sandales, tu ne bouges pas. Tu ne veux pas de remplaçante. Ta mère, c'est ta mère. Tu refuses de rire parce qu'elle est encore au lit. Tu crois toi aussi aux paroles guerrières de ta conscience. *Jamais ne danse devant les autres, toujours face au mur, derrière un meuble, recourbée. Pour que personne ne dise ensuite: «Tu dansais pendant que moi je souffrais».* Tu apprendras un jour que le bonheur n'est pas une faute. Ce mensonge que tu as fait tien pour survivre ravagera ta route. Déjà tu veux être seule, c'est bien. Je n'en étais pas capable.

Plus tard tu sauras: il y a des enfants qui sont utiles parce qu'ils servent à donner l'amour que des adultes n'ont pas reçu et ne se disposent pas à recevoir. Des enfants sont utiles lorsqu'on les aime pour ce qu'ils nous apportent. S'ils arrêtent de donner, s'ils arrêtent d'être enfants, il arrive qu'on pense, sans se l'avouer mais tout de même, à s'en débarrasser.

— Soline, allons voir ta mère, allons la réveiller.

— Elle ne voudra pas. Elle dit toujours: «Mon mal se réveille avec moi».

— Alors nous parlerons avec son mal.

Elle avait bu, elle ne se ressemblait pas. Jamais je ne l'avais vue mais il était très clair qu'elle n'était pas ce que je voyais là. Il y avait eu tempête, ses doigts étaient secs, elle se mouchait avec son chandail. Soline lui tendit la main, elle la prit dans ses bras.

— Pourquoi vous servez-vous de Soline comme d'une mère ou d'une sœur?

— Soline est tout pour moi.

— Pourquoi lui donnez-vous la responsabilité d'être tout?

— Soline je l'ai eue pour moi, je la voulais pour moi. Vous comprendrez quand vous aurez des enfants.

— Je n'aurai pas d'enfant. Je refuse de leur donner ce qui les étouffera.

— Alors vous ne comprendrez jamais.

Soline, sauve-toi, cours! Va rejoindre ton père, ne reste pas ici. Ta mère vivra même si tu t'éloignes. Elle vivra.

— Si je pars et qu'elle reste vivante, à quoi je sers? dit Soline.

— Tu sers à toi-même, je ne sais pas comment t'expliquer. Soline, s'il te plaît, j'ai des choses à dire à ta mère.

— Reste, Soline. Je ne cache rien à ma fille, elle m'aide à vivre et je ne vois pas en quoi c'est mal.

— Après c'est elle qui n'arrivera plus à vivre.

— Elle n'aura qu'à faire des enfants, ils prendront soin d'elle.

Elle claque la porte. Me voilà dehors.

Par la fenêtre je la vois s'asseoir avec sa fille, caresser les cheveux de Soline, puis pleurer en la serrant contre elle.

SACCAGE

❖

Je ne veux pas être ce que je vois que je suis. Je ne veux pas venir de cette histoire-là. Il y a trop d'horreurs, d'inconvenances. La honte m'étouffe. Ne m'appelle plus ta fille, je ne veux plus être ta fille. *Alors tu seras quoi ?* Une femme. Elle a mis sa main sur sa bouche pour camoufler son rire. J'ai pensé, saccage. Saccage tout.

Tu es venue, tu es repartie, mais je te porte encore et mes mains sont meurtries. Je ne sais plus écrire, mes dents sont serrées, je voudrais rentrer chez moi, mais la neige s'est transformée en glace et on n'y voit rien. Avec cette tempête, je ne pourrai pas distinguer la route aux abords du fleuve. Et je n'ai pas envie de plonger, je n'ai pas envie de mourir. Je n'ai pas soif, pas faim. Je suis là sans mon corps à regarder mon nom écrabouillé sur le plancher, mais je ne veux pas mourir.

C'était Noël. J'avais loué cette maison pour être seule. Tu es venue quand même. Tu es venue et tu m'as tuée. Encore. Et je me suis laissé faire. Tu es arrivée sans téléphoner, sans cogner, tu es entrée en criant «Joyeux Noël!» et tes bras étaient chargés de cadeaux et de nourriture. Dans les placards tu as rangé des dattes, des chocolats et des noix.

— Je ne suis plus une enfant, tu sais.

— Mais moi je serai toujours ta mère.

Tu pleurais en disant que j'étais égoïste et qu'il aurait mieux valu que je devienne psychologue comme je l'avais un jour désiré. *Pourquoi as-tu changé de voie?* J'aurais pu répondre «parce que j'ai renoncé à te sauver», mais j'ai mis ma main sur ton ventre et j'ai dit «pardon maman, je ne voulais pas te faire de la peine». *Cesse de faire l'enfant maintenant, j'ai chaud.*

Elle était venue dîner avec moi pour que je ne devienne pas folle à écrire seule dans cette plaine morte. Le repas était prêt. Deux portions de poulet et riz amandine. *Un jour, il faudra que tu nous pardonnes.* Je la regardais manger en silence. Même à son âge, elle était plus belle que moi. *Il n'y a pas une odeur de pourriture, ici? Je nettoierai ta cabane plus tard. Tu tomberas malade avec cet air vicié.* J'ai déposé mes ustensiles. Fallait-il que je renverse la table? Le souvenir de mon père qui l'avait fait si souvent m'est revenu, je lui en ai parlé. *Le riz est trop salé, laisse si tu n'aimes pas.* J'ai laissé tomber mon couteau par terre et j'ai dit «tiens, nous aurons de la visite». Elle a demandé si j'attendais quelqu'un. J'ai répondu «je m'attends, j'attends que ma voix monte et te repousse. Cette voix se meurt, elle se tue en moi et me tue avec elle parce que je ne veux pas te détruire, toi qui m'as faite ». *Cesse avec tes drames et tes mythes grecs. Je connais la vie mieux que toi. Mange, tu maigris.* Elle m'a demandé s'il y avait d'autres chalets à louer dans le coin. L'an prochain, à pareille date, la famille pourrait en louer un. La région était belle, finalement, mais être seule ici c'était du gaspillage. La pièce est devenue floue, les murs m'ont paru se rapprocher, j'allais me recroqueviller mais j'ai crié : « Arrête ! Arrête de me tuer, va-t-en ! Prends tout ce que tu as apporté et va-t-en ! » Je fuyais son visage et ses mains parce que j'y aurais reconnu l'enfant caché sous le dragon. J'ai empoigné mon manteau et j'ai couru sur la neige, en suivant les traces des animaux sauvages.

Mon frère dit souvent que nos parents nous ont tout donné. Moi je dis qu'ils nous ont pris beaucoup. Ils ont pris nos yeux, notre bouche et ils nous ont coupé les jambes. Réveille-toi ! Dans la forêt, notre arbre a cessé de s'épanouir. Pas d'avenir, pas de vie. Et les autres, avec leurs bras, nous regardent l'air de dire : mais qu'attendez-vous donc pour vieillir et vous reproduire ? Entre eux je marche, je crache du sang. Parfois ça hurle en moi : vous ne pouvez pas comprendre, vous êtes vivants.

Lorsque je suis revenue, elle remettait ses paquets dans le coffre de la voiture. Elle regardait le fleuve au loin, d'un air perdu.

— J'aimerais bien revenir demain patiner avec toi.

Elle avait murmuré d'une voix d'enfant. Ses yeux étaient les mêmes que sur ses photos, à dix ans, lorsqu'elle avait quitté son pays natal.

— La glace n'est pas assez forte. De toute façon je suis venue ici pour être seule, et écrire.

J'aurais voulu ne pas dire ces mots durs. J'aurais voulu être une bonne fille.

Je ne t'aime pas, maman, lorsque tu n'aimes pas ce que tu vois que tu es et que tu viens me voir pour t'accrocher à moi. Ce n'est pas la folie qui défait les enfants envahis, c'est autre chose. Quelque chose qu'on peut cacher, qu'on peut emballer. Des voix, des images s'incrustent et reviennent, infatigables.

La nuit est vide et j'ai peur de mourir. Dans le ciel noir il y a encore des oiseaux. En me concentrant sur ma respiration, j'essaie de m'endormir. Chaque souffle fait passer un morceau d'elle, d'elle en moi, de moi en elle. Seule dans cette plaine, j'accouche de ma mère. L'aiguille de la vieille horloge bouge lentement, et je pense à tous les livres que je n'ai pas encore lus.

MA MAISON

❖

Maintenant je pleure. Je veux construire une famille avec toi et je pleure. Je ne me plains pas du présent mais de l'enfance qui revient dans la chambre.

Nous cherchons un lieu de bois, de brique, un lieu réel, un abri, et je me rends compte qu'en moi tout est par terre. Il n'y a pas de murs, pas de portes, pas de fenêtres. Le vent entre, j'ai toujours froid. Je pose un mur, j'étouffe. Je le défais et j'ai froid.

Je pleure et souvent, fatigué, tu demandes : *mais pourquoi berces-tu les morceaux gris qui tombent du ciel ? Pourquoi fais-tu des trous dans tes lainages ? Es-tu incapable de célébrer ?* Je voudrais te faire taire parce que tu dis des choses qui me font mal.

Je suis arrivée les mains crispées, le dos voûté, les yeux baissés sur un chemin large comme le jour qui s'éteint. Il n'y avait personne, il y avait des miettes. Des morceaux à classer, nettoyer, assembler. Ils remontaient de la terre, ils m'effrayaient ; j'ai beaucoup vieilli. Le cœur m'en brûle encore. Tu es arrivé en silence avec ton regard bienveillant. Tu écoutais mon souffle et tu disais: *là, il est temps de s'arrêter, tu te fatigues. Tu ne sais pas reconnaître ta fatigue, te connais-tu?* Tu m'as appris que je ne me connaissais pas. Je t'en ai beaucoup voulu.

Ce n'est pas seulement une histoire d'amour mais une histoire de peur. Combien de fois ai-je voulu fuir? Il y a ma mère et mon père dans ton accent. La moitié de ton enfance est restée dans un pays que tu n'oses plus regarder. Tu as vécu les mêmes exils, alors comment se fait-il que sur ta joue il y a toute la paix du monde?

J'ai envie d'une maison avec toi, d'un espace où m'établir. «Ne dis plus ce mot. Ne parle plus de t'établir. Prends garde aux choses stables qui vacillent en secret. Il faut les écouter, entendre ce qu'elles ne disent pas et imaginer ce qu'elles pourraient dire. Te tuer à les écouter et à imaginer le pire et le plus sale.» J'ai envie de rester ici, en moi et avec toi. J'ai envie de construire quelque chose qui me ressemble. «Tu te perdras, tu seras dévorée, tu ne sais pas encore comment te protéger de toi-même.» J'ai rêvé d'une maison blanche en peluche avec de la neige tout autour. Dans quel quartier crois-tu que je la trouverai? Je n'ai pas renoncé à mourir mais je tente ma chance ailleurs. J'ai fait mon temps au bord du récif, j'ai assez porté le poison des autres. Maintenant je parle de ma voix grave. Laisse. Laisse-moi rêver aux murs que je détruirai. Laisse-moi imaginer que je n'aurai plus jamais froid. Laisse-moi tomber par terre me rendre compte que je ne m'enfonce pas.

Crois-tu que nous trouverons un lieu où être bien ? Quand je lève la tête je ne vois que des montagnes. Reste s'il te plaît assis tout près de moi, raconte-moi comment hier je t'ai vu, je t'ai choisi. Avec tes yeux.

Les sentiers sont larges dans tes yeux, la neige colle à mes pieds, le bois brûle. Il faudra un jour que je te ramène un souvenir, un cil, une larme, de la lumière. Je ne veux pas te quitter, mais je voudrais parfois te perdre pour me punir du bonheur que tu me donnes.

Pourras-tu regarder le soleil quand mon visage sera couvert de bruine ? Je serai peut-être toujours ce verre ébréché dans lequel on boit encore de l'eau. Tu aimes cette eau, tu la bois, tu n'en meurs pas. Je ris avec toi comme je ne ris avec personne. Elle sera blanche notre maison, avec de l'espace et des volets. Et la nuit, je serai à côté de toi.

Cuisine

❖

Tu étais sous la table, tu pleurais. Alors je suis allée te voir. J'ai pris tes mains, elles étaient moites. J'ai embrassé tes doigts. Qu'est-ce qu'il y a ? Tu ne savais pas, tu faisais non de la tête en tournicotant tes cheveux. Je caressais ton dos, ton gilet de laine orange. Tu as dit, *ma mère, ma mère*, et j'ai compris que tu n'étais plus là, tu avais un autre âge, tu étais peut-être dans un autre pays. Je suis restée sous la table à me noyer avec toi. Quand la porte de la maison s'est ouverte et que la voix de papa s'est fait entendre, tu as repris ton rôle. *Pourquoi donc étais-tu sous la table*, m'as-tu dit de ton regard vague. Mais c'est moi qui suis venue te rejoindre. *Voyons, une fille ne console pas sa mère, tu pleurais, quand tu pleures tu viens souvent sous la table, tu te caches et tu pleures.* Tu avais l'air de croire à ton histoire.

Ce soir c'est soir de fête. Nous recevons. Tu laves la laitue, l'éponges dans une serviette, haches les oignons, *zut ! le couteau. Je me suis fait mal.* Voici un pansement, voici un baiser, je vais te sauver, tout va bien. Tu mets dans la soupe du sel et du poivre à grosses pincées. J'aime regarder tes doigts agiles. *N'exagère pas sur le sel*, crie papa du salon, mais nous ne l'écoutons pas, nous suivons la recette. Tu bats d'une main souple et rapide les œufs pour le gâteau. J'apprends. L'index dans la mousse, *hum, c'est bon. Voudrais-tu ajouter un peu de sucre ?* Tu portes parfois un tablier et j'en mets un aussi pour faire comme toi. Dans ton cahier il y a toutes les mesures et les étapes, ça parle de nourriture et de rien d'autre, rien sur toi, j'ai souvent regardé. Moi dans mes livres d'école j'écris mes tristesses et mes colères, je mélange tout. Tu broies l'ail, comptes les asperges, fais fondre du beurre, tout est prêt. Tu te maquilles. Je trouve tes lèvres rouges sur un mouchoir que je garde dans ma poche.

De mon lit, j'entends les rires, les disputes, j'écoute les confidences et la porte qui claque une fois les invités partis.

C'est le moment de dire adieu. De dire je t'aime, de dire adieu. C'est à mon tour d'être mère et de danser dans la cuisine. Mais je voudrais pleurer moins que toi, je voudrais mourir moins que toi.

Embâcle

❖

Depuis notre arrivée à Erevan, il pleut, il pleut et nous hantons les cafés, les musées et notre chambre d'hôtel. On nous avait prévenus : ce n'est pas la meilleure saison pour visiter la ville, mais nous voulions y être au printemps pour célébrer notre premier anniversaire de mariage. La pluie torrentielle se mêle à la voix envoûtante d'une chanteuse aux cheveux blonds. Je suis du regard une petite fille qui danse entre les tables du restaurant de la rue Sayat-Nova où nous sommes attablés. Tu écoutes les paroles des chansons en souriant. Moi, je ne reconnais que les instruments : doudouk, kamant-cha, shevi. *Que dit-elle ?* Tu m'ignores et je baisse la tête comme une enfant punie. Une nouvelle chanson, encore un peu d'alcool. Les frissons parcourent ma peau, je mets ma main sur la tienne et j'insiste : *Traduis, maintenant.* Alors tu chuchotes à mon oreille : *Leroutioun, leroutioun, gyankine garke dour : Silence, silence, laisse venir la vie.* Tu t'arrêtes en voyant les larmes tomber de mes yeux. Tu ne peux pas comprendre pourquoi penser à la vie qui vient me fait pleurer, alors tu dis *je baisse les bras* en m'enlaçant doucement.

Cette musique est belle comme la lumière qui s'immisce dans les vieux monastères arméniens. Ils sont juchés sur des falaises, généralement il n'y a personne autour. On les visite seul comme si on était le dernier survivant sur terre. Ce soir, au centre des convives, parmi lesquelles cette petite fille qui danse, la voix de la chanteuse me fait retrouver la paix de ces vieilles églises abandonnées. *Leroutioun, leroutioun, gyankine garke dour.* Je chante le refrain en boucle alors que nous courons sous la pluie en riant. Je ne le laisserai pas s'échapper de moi.

Ton visage tout près du mien, la nuit, tu murmures que j'ai l'air plus heureuse qu'avant le départ. Tu te rappelles le mot que j'avais alors en tête. Tu dis : *C'est mieux ce refrain que le mot embâcle. C'est plus joyeux.* » Oui, l'hiver est terminé et les morceaux de glace ont bien disparu. J'aimais les voir flotter sur la rivière, se bousculer, s'entasser pour former des barrages aux angles saillants. Je n'avais que ce mot aux lèvres : embâcle. Construire des embâcles, refermer l'espace, être seule. Puis, un jour, tu m'as annoncé que l'amoncellement de glace avait été réduit en miettes par les employés de la Ville pour éviter une inondation. Ce n'était pas l'issue que j'attendais. J'espérais assister au dégel et au défoulement de la nature. J'aurais aimé voir l'eau s'élancer vers les grands arbres qui bordent la rivière, envahir violemment les terres, les maisons, crier sa rage pour enfin retrouver son lit et s'apaiser. Mais il n'y a pas eu de drame, le champ est libre ; j'abandonne la guerre.

Demain, s'il fait beau, nous irons célébrer la tranquillité du lac Sevan. Je regarderai les mâts de lumière s'allonger sur l'eau et les filets diaphanes qui s'en détachent. Mais s'il pleut encore, nous resterons dans la chambre, tu m'apprendras à dire *ouch lini anouch lini : que ce soit tard, mais que ce soit bon*, et j'entendrai mon rire qui tombe et file, mon rire qui se déverse comme l'avril.

La main brisée

❖

E lle avait pris beaucoup de poids, son visage se couvrait de plaques rouges plusieurs fois par jour, les courtes phrases qui sortaient de sa bouche restaient pour la plupart inachevées et elle errait sans but dans la maison, ouvrant un livre, le refermant pour croquer dans une pomme puis sortant dehors, en laissant là sa lecture et son fruit. Ce n'était pas une découverte, mes observations dataient de quelques semaines déjà et je me les répétais encore aujourd'hui sans toutefois en éprouver de la douleur. J'aurais bien voulu penser à autre chose, mais lorsqu'elles ont une minute, mes pensées affamées l'engouffrent et ma mère ne résiste pas.

Au moins, mon corps était bien. Étendue à l'ombre sur une chaise de plastique dans notre petite cour, j'essayais de profiter de ce moment de répit bien mérité en frôlant de mon pied le gazon doux comme une caresse. C'est à ce moment-là que ma mère a enjambé notre petite clôture dans un silence presque malin. Elle s'est dirigée vers moi d'un pas militaire, les yeux exorbités, ses mains dans les airs, et j'ai cru qu'elle voulait m'étrangler. Sa bouche était ouverte, quelques bulles de salive s'accrochaient à ses lèvres prêtes à crier une injure, pourtant c'est la supplication *À l'aide!* qui s'est extirpée de sa mâchoire béante.

Il m'a fallu une heure pour la calmer. Elle s'est assoupie après quelques gorgées de tilleul et de mots rassurants. Je peux donc écrire maintenant en toute quiétude. Ma cousine Tiala, elle, n'a pas écrit depuis trois mois. Au début, je ne m'en faisais pas du tout, surtout que contrairement aux autres membres de la famille, je ne suis au centre d'aucune de ses histoires. L'écrivaine de la famille n'a pas eu le temps de se rendre à ma naissance ; elle a été victime d'un blocage. Ses parents ont refusé de consulter des spécialistes, ils préfèrent que toute cette histoire reste secrète. Je n'ai moi-même pas eu l'occasion de lire le récit de Tiala. Ses textes sont entreposés par ordre chronologique dans le tiroir de mon oncle, son père, Paul.

Cela dit, nous savons au moins quand le blocage est survenu. Il semble qu'après avoir raconté la vie de notre arrière-grand-mère et une partie de celle de notre grand-mère, Tiala était ravie de se mettre enfin à l'écriture de l'histoire contemporaine de la famille. Je me rappelle lui avoir parlé ce jour-là, elle comptait consacrer sa journée à raconter l'immigration de la famille de sa mère. Je ne sais pas pourquoi, mais cet événement l'excitait beaucoup.

Sa mère n'avait que quatre ans au moment de son arrivée ici, la mienne en avait neuf. Tiala disait qu'après avoir écrit ce passage, elle pourrait enfin dormir en paix. Parlait-elle d'elle-même ou de sa mère? Il est étrange que je ne me sois pas posé la question à l'époque.

Ma mère m'a raconté la suite. La crise aurait commencé peu après l'heure à laquelle Tiala cesse normalement d'écrire et reçoit ses parents dans sa chambre pour lire ses travaux du jour. Mis à part Paul et Suzanne, et Tiala bien sûr, personne ne sait ce que contiennent les travaux de ce 24 avril. En réalité, Tiala s'est tue peu après les cinq jours de travail intensif avec ses parents. Je peux témoigner de la rigoureuse réclusion qui a suivi les travaux du 24 avril, puisque ma mère me chargeait à cette époque de leur apporter à dîner. Elle disait que je devais participer à sauver la famille.

Notre famille est extrêmement liée. La meilleure amie de ma mère est sa sœur. La meilleure amie de ma tante est ma mère. Elles travaillent toutes deux dans la petite brocante-boutique de cadeaux mise sur pied par grand-mère à son arrivée. Le père de Tiala y tient la comptabilité. Il n'y a que mon père qui est tourné vers l'extérieur. Il fait des affaires avec le frère de ma mère, Jérémie, qui habite en France. Celui-ci, d'ailleurs, a quitté notre pays pour se libérer de ses chaînes, c'est ce qu'il m'a écrit un jour dans une carte d'anniversaire. A-t-on idée d'écrire une chose pareille à une jeune femme au seuil de l'âge adulte ? C'était pour mes 18 ans ; il me souhaitait un autre destin que le sien. Il m'écrivait que même là-bas, dans la Ville lumière, il se sentait près de nous. Il nous entendait partout.

Je menais donc les repas à ma cousine et à ses parents sans trop comprendre la gravité de la situation. Évidemment, il me semblait étrange qu'ils soient tous enfermés de la sorte, mais j'avais l'impression d'assister à une scène de jeune ménage, inoffensive et, même, attendrissante. J'avais confiance. Ma cousine me manquait, mais nos rencontres s'étaient raréfiées depuis qu'elle écrivait plus intensivement. En vieillissant, Tiala préférait la solitude et je n'y voyais pas d'inconvénients, puisqu'elle semblait heureuse. Toutefois, j'ai commencé à m'inquiéter pour elle au dernier jour de leur enfermement, lorsque je l'ai aperçue malgré le mouvement rapide de mon oncle pour refermer la porte de sa chambre. Elle avait le visage boursouflé par les larmes et n'était pas assise à son bureau. La main qui tenait son crayon d'écriture n'était pas la sienne, c'était celle de Suzanne.

Selon ma grand-mère, Suzanne et Paul auraient essayé d'améliorer la qualité du travail du 24 avril de Tiala, qui leur semblait en deçà de ses précédentes pages. Tiala aurait tant écrit et réécrit que son poignet était devenu très douloureux. Compatissante, sa mère aurait alors pris le crayon pour noter les mots que lui dictait son unique fille. À la suite de cette semaine éprouvante, la nouvelle qu'ils ont annoncée laissait entrevoir le pire : Tiala avait cessé d'écrire. Elle ne savait plus quoi écrire, ou plutôt, elle ne trouvait plus les mots justes pour décrire leurs existences avec toutes les nuances nécessaires. Une existence n'est faite ni de noir ni de blanc, et il semble que Tiala aurait un peu trop forcé sur le foncé. « C'était comme si une âme étrangère l'avait saisie », a précisé Suzanne sur le coup. Je me souviens très clairement de cette phrase. Elle m'a tellement épouvantée que je l'ai répétée à toutes mes amies en me moquant de la crédulité de ma tante.

C'était le 1er mai. Il y avait longtemps que ma mère n'avait pas été aussi angoissée, ma grand-mère avait des nausées, et les étourdissements de Suzanne étaient tels qu'elle ne pouvait plus se tenir debout. L'état mental de Tiala ne s'améliorait pas non plus. Elle dormait pratiquement toute la journée et ne voulait parler à personne. Ses parents la préservaient donc de toute visite. Pour ma part, avant ce jour, je n'ai même jamais pensé aller la voir.

Sur le coup, la rupture ne m'a fait ni chaud ni froid. Toutefois, après des semaines à consoler ma mère, à supporter les crises d'hystérie de mon père et à consacrer presque la moitié de mon temps à visiter grand-mère, je commence à être moi aussi fâchée contre Tiala. J'ai ma vie à vivre. J'ai donc pris la décision de lui rendre visite. Il est toujours interdit de le faire — sa chambre est surveillée nuit et jour par son père et sa mère qui se relayent, ce qui permet à l'un d'aller dormir, à l'autre de pleurer, de crier ou de s'asperger le visage avec de l'eau glacée. La situation est telle que même mon oncle Jérémie débarquera de Paris la semaine prochaine pour nous apporter du réconfort. Il y a bien vingt ans qu'il n'a pas mis les pieds ici et personne n'a vraiment envie de le voir. Pourtant, Tiala a fait beaucoup de bien à Jérémie qui, même à Paris, souffre comme les autres. Mais de quoi souffrent-ils? Je n'ai jamais bien compris. M'a-t-on déjà expliqué? Je ne crois pas.

On ne m'a jamais expliqué, mais je ne suis pas aveugle. J'ai bien vu comment notre pharmacie est chargée d'anxiolytiques de toutes sortes. J'ai une amie infirmière qui ne peut s'empêcher d'examiner les armoires à médicaments des maisons qu'elle visite. C'est elle qui me l'a dit. Leur présence est certainement le signe d'une certaine fragilité, pourtant ma mère est la femme la plus forte que je connaisse. En plus, avec la mère qu'elle a, il aurait été compréhensible qu'elle bascule dans la névrose ou la violence. Mais pas du tout, elle est tout à fait calme et posée, elle a ses habitudes et n'en démord pas. Il faut dire que sa malchance s'est poursuivie avec mon père : un homme séducteur et dépensier. C'est une copine serveuse dans un bar qu'il fréquente qui me l'a dit, mais je n'ai jamais rien entendu d'officiel à ce sujet. Enfin, Jérémie a probablement des raisons de se sentir mal, il a bien eu la même mère que la mienne, et elle ne voulait pas d'enfants.

Paul et Suzanne se tenaient serrés l'un contre l'autre devant la porte de la chambre de Tiala. J'ai eu un frisson en les apercevant. D'abord parce que l'image était nouvelle pour moi, mes parents ne se sont jamais collés autant sous mes yeux, par pudeur peut-être. Puis, parce que Tiala m'a souvent raconté, avant de commencer à écrire, qu'elle craignait pour la vie de sa mère. Tiala disait que sa mère était morte en son père, qu'elle s'était fondue en lui depuis bien avant sa naissance, et quand elle lui parlait, Tiala répondait à Paul.

Celui-ci m'a tendu sa main moite et petite. Celle-là s'est penchée vers moi pour m'embrasser de ses lèvres sèches. Leur panique était évidente.

— Il y des jours qu'on ne dort plus, a dit Suzanne en voyant mon malaise.

— Que se passe-t-il ? a demandé mon oncle, comme pressé, déjà, de me voir partir.

— J'aimerais la voir, essayer de la persuader à ma manière.

— Nous avons tout fait, a-t-il répondu rapidement.

— Tout ! a répété Suzanne.

— Tu ne sauras pas agir mieux que nous. Rentre chez toi et dors, chère Lisa.

— Oui, rentre chez toi, Lisa ! a lancé sa femme plus durement que lui.

—Égoïstes! Comme si vous étiez les seuls à souffrir! Ma mère est pâle, elle ne mange plus et passe ses journées à pleurer, la tête engouffrée dans son oreiller. Mon père habite désormais chez une autre femme parce qu'il ne peut plus supporter de la voir dans cet état. Qui s'occupe d'elle et des tâches quotidiennes, pensez-vous? Moi! Et j'ai ma vie à vivre!

J'ai terminé mon discours doucement. Je voulais donner l'impression de maîtriser la situation (c'est un truc de mon père). J'avais un peu honte de m'être emportée, mais je le cachais bien.

—Laissez-la entrer.

C'était la voix de Tiala, passant comme un fil au travers de la porte close. Elle semblait encore plus fragile qu'à l'habitude. Vraiment, je devais la convaincre de recommencer à écrire.

— Bon, entre un peu, a concédé Paul.

Il semblait vouloir ajouter quelques mots, mais il est resté muet. Il savait probablement que cette discussion était perdue d'avance. C'est étrange, mais avec le temps, Paul devient aussi dépossédé que sa femme.

Ma chère cousine était étendue sur son grand lit, sous son édredon rose datant de notre enfance. La pièce était sombre, seule sa lampe de chevet était allumée. Tiala a toujours préféré les ambiances feutrées tandis que moi, j'aime voir clairement les objets et les gens. J'aime les voir sous le plein soleil de juin, sinon j'ai toujours l'impression qu'un

petit quelque chose m'échappe. Je me suis spontanément dirigée vers elle, mais un paquet-cadeau m'a
fait trébucher. Il y en avait des dizaines d'autres,
tous étalés sur le sol, encore intacts. La chambre
de Tiala n'était plus celle que j'avais connue. La
blancheur des murs et la sobriété de la décoration
— en réalité, il n'y avait pas de décoration — avait
remplacé l'effet bric-à-brac d'autrefois. Le sentiment d'étouffement augmente avec les années.
Plus je prends de l'âge et plus je jette de choses.
Un seul regard sur certains objets peut me mettre
à bout de nerf. Lorsque ça m'arrive, je donne des
trucs à mes copines ou à Tiala. Je ne sais pas ce
qu'elles en font. Dans la chambre de Tiala, il n'y
avait que son ordinateur, installé seul sur une table
de bois antique, comme on l'aurait fait avec un vieux
trésor de famille ou avec un Bouddha de bronze.
Rien sur les étagères, mis à part quelques diction-
naires. Au centre de la pièce, seulement une odeur
de lavande et un silence incessant provenant de
mon oncle et de ma tante.

— Que veux-tu, Lisa? a sèchement demandé ma
cousine.

— Je veux que tu recommences à écrire.

— Ça ne se fait pas en claquant des doigts.

— Il le faut, Tiala. Ma mère est en train de devenir folle.

— J'aimerais écrire, a-t-elle soufflé très doucement.

— Ah oui ? ai-je murmuré, surprise. Alors qu'attends-tu ?

— J'aimerais écrire une histoire qui n'existe pas, une histoire neuve. Mais ils refusent que j'utilise mes mots pour raconter une autre histoire que la leur.

— Pourquoi ne finirais-tu pas notre histoire avant tout ? Après, tu serais libre.

— Je n'y arrive plus.

— Et si tu essayais une dernière fois ? Je pourrais écrire pour toi. Tu me dictes et j'écris. Allez, trouve les mots qu'il faut, c'est ton talent.

— J'ai les mots, mais ce ne sont pas les vôtres ! a crié Tiala avant de se détourner de moi.

— De quoi as-tu besoin, Tiala ?

— La paix, a-t-elle grogné.

J'ai ouvert la porte, mine basse. Tiala a la tête dure, sa mère le lui a toujours dit, avec raison. Toute petite, nous n'avions pas beaucoup d'affection l'une envers l'autre. Dès que j'ai su parler, j'aimais chanter les derniers succès populaires et danser devant notre famille. Tiala, elle, se cachait derrière les fauteuils pour pleurer en silence. Elle me trouvait criarde et fatigante. Je la trouvais timide et beaucoup trop sage. Depuis peu, c'était moi qui buvais, fumais et couchais, et elle qui étudiait et écrivait sans répit. Elle a toujours été la préférée, parce qu'elle respectait la visite hebdomadaire chez grand-mère. Pour ma part, je l'évitais en servant des cafés filtre dans une beignerie. Mais cette vie normale s'est arrêtée il y a un mois, alors que j'ai quitté mon emploi pour m'occuper de ma mère, incapable de rester seule. J'ai donc commencé à assister aux dîners dominicaux et même à y prendre goût; je n'ai jamais reçu autant d'attention de ma vie, ça me fait chaud au cœur.

Je sortais donc de la chambre de Tiala, honteuse d'avoir échoué, lorsque Paul et Suzanne ont tourné leurs yeux vides vers moi. Qui sait pourquoi, à ce moment-là, j'ai relevé la tête? Peut-être à cause d'un de ces instincts de survie dont parlent parfois les scientifiques au sujet des bêtes.

— Tiala écrira avec moi. Nous écrirons ensemble, mais à une seule condition: que je lise d'abord sa première version. Celle du 24 avril.

C'est Suzanne qui a parlé, elle s'imposait décidément beaucoup aujourd'hui.

— Nous avons brûlé le document du 24 avril. Il n'en reste pas une cendre, a-t-elle confessé fièrement.

— Et évidemment, vous ne vous souvenez de rien, ai-je ajouté. Tiala, elle, s'en souvient, c'est certain.

Je n'avais pas fait trois pas dans la chambre de Tiala qu'elle m'a lancé un commentaire en regardant le plafond.

— «Qu'allez-vous faire de ce que l'on a fait de vous?» Jean-Paul Sartre. C'est la seule phrase que j'ai retenue, c'est tout ce qui me reste, a chuchoté Tiala, avant de sangloter en silence dans son oreiller.

Je lui ai caressé le dos tendrement.

— Ça va aller, Tiala, ce n'est pas grave.

— Lisa, c'est très grave, a-t-elle affirmé solennellement en se tournant vers moi. J'avais écrit au moins quinze pages et tout s'est enfui, ma mémoire a tout lâché entre leurs mains hypocrites. Il y a tant d'années que je me préparais à écrire ce passage. Je me le répétais nuit et jour et j'arrivais à le retenir sans qu'aucune parole ne soit notée sur papier. Mais j'aurais dû l'écrire partout, sur les murs, dans mes livres, sur ma peau, pour ne pas qu'ils le prennent. C'est notre histoire qu'ils ont volée, Lisa. Ils n'ont pas voulu la reconnaître. »

C'était fini. Elle avait fermé les yeux et de lentes coulisses humides glissaient sur ses joues. Je ne savais pas quoi dire. En vieillissant, j'étais de plus en plus intimidée par Tiala. Je n'osais plus parler, je savais que ses mots étaient plus clairs et libres que les miens.

— Tiala, Tiala, encore une chose. Pourrais-tu me dire comment ma mère était décrite dans ton histoire ?

— Je ne me souviens de rien, Lisa.

— Mais cette phrase, celle dont tu te souviens, à qui appartenait-elle ?

— Elle aurait sans doute pu appartenir à ta mère ou à la mienne. Ou encore à Jérémie. Peut-être même à notre grand-mère.

— Tiala, peut-être que si nous sortions prendre l'air, cela te reviendrait. Il fait bon dehors, il fait noir, aussi. Tu n'es pas sortie depuis des jours !

— Je n'ai pas envie de sortir d'ici. Ma chambre est le seul espace où je me sens bien. Et maintenant que mes parents l'ont occupée trop longtemps, je m'en sens bizarrement prisonnière.

J'avais drôlement envie de pleurer. Mais entre Tiala et moi, c'est elle qui pleurait.

— Que puis-je faire? Il y a sûrement quelque chose à faire pour que tu te sentes mieux.

— Appelle-les toutes ici. Grand-mère, ta mère et Suzanne. J'aimerais les voir toutes. Et reviens avec elles.

Il était neuf heures du soir. Ma grand-mère dormait sans doute à poings fermés et ma mère devait être assommée par les somnifères que je lui avais fait prendre. J'ai tout de même ordonné à Suzanne de m'attendre, puisque j'allais revenir avec sa famille. Après avoir consulté Paul, elle m'a regardée en hochant la tête à la diagonale. Je suis donc partie rapidement vers notre maison, située tout à côté de la leur, au rez-de-chaussée de l'appartement de ma grand-mère.

Ma mère a vivement réagi, elle ne voulait pas me suivre, c'était insensé. Qu'y avait-il donc de si difficile à tolérer? Elle a finalement accepté de me suivre chez grand-mère, après que je lui ai raconté que Tiala avait besoin de ses encouragements pour recommencer à écrire. J'ai bien vu comment elle s'est sentie importante, j'ai même constaté qu'elle était émue.

Chez ma grand-mère, le scénario a été encore plus dramatique. Elle s'est carrément battue avec ma mère et avec moi. Rien n'allait la faire bouger de son lit où, contrairement à ce que je pensais, elle regardait la télévision. Il a fallu que je la gifle pour qu'elle comprenne l'urgence de la situation. Je ne me serais jamais crue capable de ça, et jamais je n'aurais pensé que ça me ferait autant de bien de le faire. Ma mère n'a pas dit un mot, mais je pense qu'elle aussi aurait aimé voir sa main s'envoler comme la mienne.

Nous étions donc toutes alignées comme des élèves obéissantes devant le regard impérieux de Tiala. En regardant les autres femmes de ma famille, courbées et dodues, je me suis sentie soudainement bien fière de moi, comme si je n'appartenais pas à cette lignée mais à un autre clan, plus riche, à l'écart.

— Je sais que vous souffrez en ce moment.

— Oui, Tiala, nous souffrons énormément, et toi seule peux nous aider. Quand tu écrivais, nous ne souffrions pas, prononça ma mère d'une voix glaciale.

Elle ne semblait pas dans son état normal. Elle parlait sans doute au nom de sa propre mère, sa voix portait même les tonalités de celle de ma grand-mère, qui demeurait encore silencieuse et fermée.

—Lisa, tu souffres moins. Ta douleur se retient pour le moment, elle se prépare, mûrit, grandit discrètement. Dans quelques années, tu sauras exactement de quoi je veux parler. C'est donc le moment ou jamais de briser le sort, pour ne pas que Lisa souffre comme nous, n'est-ce pas?

Il n'y a pas eu de réponse.

— C'est ce que j'ai voulu faire en écrivant, mais on a brisé ma main, a ajouté Tiala. Et le mal n'a pas disparu, puisqu'il n'a pas été déversé comme il se devait. Ce n'est pas en fermant les yeux qu'on ne voit plus, n'est-ce pas?

— Tiala, a encore dit ma mère, ça suffit. Parle-nous clairement. Que veux-tu? Je croyais venir pour t'encourager.

— Je veux des paroles. Je ne me souviens plus de ce que j'ai écrit et je veux que vous m'aidiez à retrouver ces idées qui détenaient l'essence de notre histoire. Si vous parlez, je pourrai écrire, et ainsi nous serons tous libérés. Lisa, je t'ai fait venir car j'ai besoin de ton appui. Tu ne connais rien de la vérité, mais fais-moi confiance.

J'étais hors de mon monde. Plus de repère, plus de lieu, plus de temps. Je voyais Tiala clairement, mais il me semblait qu'un voile très léger me cachait les autres, tout s'embrouillait. Il me fallait m'asseoir, je suis tout naturellement allée à côté de ma cousine.

— Racontez-moi, a simplement demandé Tiala.

— Mais il n'y a rien à raconter! a crié ma grand-mère. Tu as une trop grande imagination, ma chère.

Puis elle a ri. J'ai eu des frissons. Ce rire, on aurait dit qu'il appartenait à mon arrière-grand-mère que je n'ai pas connue, mais dont ma mère m'a beaucoup parlé — surtout en mal.

— Je suis fatiguée, Tiala ! a encore lancé brutalement ma grand-mère.

Je me suis spontanément levée pour prendre la chaise de Suzanne dans le couloir. Paul était là, l'oreille tendue vers nous. Je lui ai demandé de nous apporter deux autres chaises. Quand il a frappé à la porte de la chambre, j'ai pris les sièges et lui ai conseillé d'aller marcher. Il me semblait qu'une force nouvelle s'emparait de moi. J'avais l'impression de présider l'opération. Je souriais.

— Tiala veut sans doute entendre, pour la vingtième fois, l'histoire de notre arrivée ici. N'est-ce pas, Tiala ? a dit Suzanne d'une voix lamentable.

— Je veux tout savoir, alors parlez. Toi d'abord, grand-mère, raconte-moi depuis le début. J'ai tout mon temps. Je note et j'espère que mes mots me reviendront. Si tu dis la vérité, ils reviendront sans doute.

— Ma chère petite-fille, que veux-tu entendre ? Une histoire ennuyeuse comme celle de toutes les autres femmes ?

— Grand-mère, ne te moque pas de moi comme tu l'as fait avec tes filles. Ton histoire est tout sauf banale et tu le sais très bien. J'ai envie de m'excuser de t'ordonner de la revivre aujourd'hui pour nous la raconter, et en même temps, j'aimerais que tu me remercies de te demander enfin d'extirper de toi cette griffe empoisonnante. Parle, sinon je te tue.

— Tiala, tu es en plein délire. Suzanne, comment as-tu pu laisser ta fille dépérir autant?

— Maman, finissons-en, parle donc, a répondu Suzanne.

— Non! Maman, ne les écoute pas. Ton histoire n'a rien à voir avec nos maux. Ne raconte rien, a crié ma mère. Tiala, je te croyais poète, tu n'es qu'une fabulatrice experte.

J'ai regardé ma mère avec tristesse. Pourquoi agissait-elle ainsi? Qu'y avait-il de mal à connaître son histoire familiale? Certes, Tiala n'y était pas allée de main morte, mais si l'histoire n'avait rien de compromettant, alors pourquoi refuser de la raconter?

— Tiala, tu aimerais que je te dise que si j'avais à recommencer ma vie, je n'aurais pas d'enfants? Tu le sais, tu l'as écrit. Je voulais être religieuse, moi, avoir la paix dans un monastère, loin des hommes et du monde. Mais non, mon père me voulait épouse et mère, alors il m'a trouvé ton grand-père.

— Quelque chose est arrivé entre là-bas et ici. Je l'avais écrit, c'était évident pour moi à l'époque. Personne ne m'en avait parlé, mais je savais.

— Tiala, tu es certaine? ai-je chuchoté.

— J'en suis certaine! a-t-elle ajouté à voix haute. Je suis certaine qu'entre là-bas et ici, vous avez perdu quelque chose, voilà, ça me revient, l'océan a avalé quelque chose, mais quoi ? S'il vous plaît, dites-moi.

— «Qu'allez-vous faire de ce que l'on a fait de vous?», ai-je récité. Qui a fait sienne cette phrase ?

J'ai posé la question parce que je commençais à en avoir ras le bol de les voir la tête pleine mais la voix absente. J'avais autre chose à faire, moi ! Et si la situation n'avançait pas, nous atteindrions l'aube sans résultat.

—C'est notre..., a commencé Suzanne avant d'être coupée par sa mère.

— Quelle surprise de voir tous ces cadeaux laissés à l'abandon, pas même déballés. Lisa, si tu les veux, ils sont à toi.

Je me fichais des cadeaux. J'étais absorbée par Suzanne et j'espérais qu'elle se mêlerait à nouveau de la conversation. Elle était pâle et tremblait de la tête aux pieds. Ma mère a vu mon inquiétude.

—Ne t'inquiète pas, Lisa, Suzanne est faite ainsi. Elle est incapable de tolérer nos discussions.

— Suzanne, tu pourrais me défendre au lieu de t'effondrer comme d'habitude, lui a dit sa mère.

— Ma mère est vide, laissez-la tranquille. Elle ne peut plus rien pour vous. Elle s'est laissée mourir.

Suzanne pleurait doucement, les yeux fermés. Ma mère fixait Tiala avec mépris et grand-mère me regardait, moi, en souriant.

Lisa, a enfin dit grand-mère, tu prends bien soin de nous depuis un moment et nous t'en remercions. Tu nous as, à proprement parler, sauvé la vie.

Elle s'est arrêtée net.

—Merci, Lisa, a complété ma mère. Tu es une fille extraordinaire.

Je me sentais soudainement à l'étroit aux côtés de Tiala, comme déplacée. J'avais l'impression de laisser ma mère dans un trou et de m'accrocher seule au filet lancé par un sauveteur inconnu. C'était trop injuste. Je m'apprêtais à me lever au moment où Tiala a pris ma main pour me chuchoter à l'oreille de tenir bon, d'être forte. Mais je pensais aussi à mon père, je ne pouvais pas le laisser seul avec ma mère. Ils avaient tous les deux besoin de moi. Si je m'éloignais, un des deux en mourrait, c'était certain. Tiala était bien intelligente et gentille, mais elle avait fait un choix et en subissait maintenant les conséquences : sa mère était une loque.

—Tiala, a dit ma mère, notre famille est sauvage, peut-être un peu trop timide, c'est tout. Ne cherche pas plus loin. Nous aimons rester entre nous, nous nous comprenons. Arrête de tout dramatiser.

— Tante, j'aimerais savoir comment tu as rencontré ton mari, comment tu as eu Lisa, comment tu es devenue une femme ?

— Je me suis mariée comme toutes les femmes, très jeune par contre, c'était comme ça. J'ai eu ma Lisa, je l'attendais avec bonheur. Ma fille Lisa.

Elle m'a regardée longuement, avec une tendresse que je ne connaissais pas. J'avais envie de la prendre dans mes bras ou plutôt qu'elle me prenne dans ses bras... j'étais confuse. Son ton était doux et affectueux, comme si encore elle avait pris la voix d'une autre. De qui ? La mienne ? Non, c'était impossible. J'aurais voulu me réfugier dans le placard de Tiala, tranquille sous les vêtements, comme lorsque j'étais petite fille et que j'entendais des cris. J'avais besoin de réconfort, de douceur, qu'on s'occupe de moi.

—Tiala, je ne peux pas.

Et je suis allée naturellement, avec grand soulagement, rejoindre ma mère, la prendre dans mes bras, la serrer très fort contre moi. Je pleurais.

En la relâchant, j'ai décidé que c'était assez. On m'avait toujours considérée comme la terre-à-terre, j'en avais donc assez de la fiction de Tiala, de ses maux et de ses mots. Je voulais que tout redevienne comme avant. Alors j'ai dit, simplement :

—Je l'écrirai, moi, notre histoire. Sinon, elle ne commencera jamais.

Lettre à Sonetchka

❖

Toute la journée, je tape les mots des autres à la machine. Je suis sténodactylo, comme Séta. C'est elle qui m'a appris ce métier et c'est elle qui m'a trouvé ce job à la banque. Ce n'est pas bien compliqué : de neuf heures à dix-sept heures, j'assiste à des réunions et j'écris tout ce qui s'y dit. Absolument tout. Je suis derrière ma dactylo et je ne parle pas, de toute façon je n'aime pas beaucoup parler. Personne ne me regarde, on finit par m'oublier, parfois on dit même des grossièretés que je dois écrire. J'ai deux pauses-café et une demi-heure pour dîner. Chaque fois, j'en profite pour aller voir mon visage à la salle de bain. C'est à ce moment-là que les voix reviennent. Elles me disent que je suis détraquée, dévastée, et que je ne connais rien au bonheur. Elles me font pleurer. Si j'entends la porte des toilettes s'ouvrir, je fais semblant de me poudrer le visage et j'arrive à sourire. Je ne veux inquiéter personne, je n'ai pas perdu la tête, car ces voix, ces voix qui croient me connaître ne sont pas les miennes. Vous comprendrez cela, Madame

Berberova, l'histoire de Sonetchka c'est un peu mon histoire.

Je vis, j'existe, le miroir me le dit, mais j'ai l'impression moi aussi *de voir la vie bouger à côté, frotter et moudre les êtres humains, mais sans me prendre.* Je n'ai rien vécu qui sorte de l'ordinaire, alors comment me présenter à vous, je ne sais pas.

Je suis la petite sœur de Séta, parfois on m'appelle aussi la petite Séta. Nous n'avons qu'un an de différence, mais cette année fait de moi la cadette de la famille, la petite sœur de Séta. Tout de même, on compte sur moi ici pour assurer le bon déroulement des choses. Alors très vite, pendant que Séta fait encore sa toilette, moi, je suis à la cuisine et j'aide maman à faire le petit-déjeuner. Je mets la table, je divise le journal en plusieurs cahiers et puisque tout est parfait, puisque je m'occupe du nécessaire et que je signale discrètement à chacun de se taire, de parler plus fort ou de mieux articuler, comme je partage en parts égales le pain et le fromage, que je place des pots de confitures à gauche et à droite et que j'écoute, surtout, j'écoute mes frères et mes sœurs, je les encourage dans leurs projets, j'appuie ma mère qui vieillit, qui parle peu, bref, puisque je suis là, tout se passe généralement bien. Mais lorsque je sors de table, je dois aller très vite à la salle de bain me regarder dans le miroir.

Séta dit que j'ai un grand talent pour faire parler les gens, je les mets à l'aise, je les écoute attentivement et ils se dévoilent comme jamais. Voilà pourquoi elle aime sortir avec moi. Je l'accompagne, j'observe ses amis en silence et ceux-ci finissent par m'oublier. Les premières fois, on me posait des questions, mais comme je ne trouvais rien à répondre, n'étant pas habituée, ne sachant pas si je devais parler en mon nom ou en celui de Séta, et si c'était en mon nom que dire sinon des âneries, car je ne pense rien sur rien, ce n'est pas mon affaire, alors comme je restais muette, on ne m'a plus regardée et c'est tant mieux. Séta, elle, se tourne vers moi quand elle se sent isolée par une conversation qui ne la concerne pas ou vexée par un commentaire. Et moi je lui souris, je lui transmets de la confiance. Lorsque nous rentrons, je lui raconte tout ce que j'ai remarqué au sujet de son amie Louise, de Nathalie, mais surtout de Michel, dont elle est amoureuse mais qui semble s'intéresser plutôt à Vara.

Aujourd'hui, ce n'est plus moi dans le miroir; Séta a pris la place. Elle est dans mes gestes, dans mes doigts lorsque je frotte mes yeux. Quand je détache mes souliers, je vois ses mains, ses bras, ça m'étourdit. Habituellement, il me faut aller dormir et attendre l'aube pour me retrouver. Mais ce matin je n'étais pas revenue à moi, j'étais encore elle ou à elle, je ne sais plus qui de l'une ou de l'autre tue la petite Séta. Je croyais que je redeviendrais moi-même en l'apercevant à mes côtés dans le lit, mais elle n'y était pas. Il y avait une note sur la commode, me disant qu'elle s'était enfuie dans la nuit pour rejoindre Michel, qui la désirait aussi. « La jalousie m'avait aveuglée », écrivait-elle, et désormais il n'y avait qu'elle et Michel, un couple normal, constitué d'un homme et d'une femme et non de deux sœurs.

Un grand papier s'est froissé, des flammes l'ont fait disparaître. Mon corps, plié. Rien, je crois qu'il ne me restait rien. Si je m'étais évanouie là, mais je ne suis jamais malade, on n'aurait pas reconnu les restes. Quelqu'un a cogné à la porte, c'était elle. *Petite Séta, viens, nous allons être en retard.* J'ai tourné la poignée et bien que j'aie cru sentir ma main se détacher de mon corps, j'ai marché droite, comme d'habitude.

Au bureau, je me suis mise à trouver que ma voix était fausse, même pour un simple bonjour. Elle semblait détachée de tout, en suspens entre le lustre et le plancher, détachée de ma gorge, de mon ventre, de mon histoire. J'ai honte. Si laide : je suis si laide que les gens détournent le regard pour ne pas me voir. S'ils ne peuvent pas m'éviter, ils prennent rapidement un autre couloir pour ne pas ressentir de gêne, de dégoût. J'ai jeté mon miroir de poche et je ne sais plus du tout de quoi j'ai l'air. D'une lépreuse, sans doute, d'un avorton de vingt-six ans. J'ai très mal à la tête.

C'est en voyant mes doigts courir sur la dactylo ce jour-là que votre histoire m'est revenue à la mémoire. Sonetchka. Je suis devenue Sonetchka. Séta m'avait offert votre livre à mon anniversaire. Elle m'avait dit: *Tu me fais parfois penser à l'accompagnatrice, Sonetchka. Attention, tu pourrais devenir comme elle.* Elle riait, elle jurait que c'était une blague et qu'il fallait apprendre à rire, à avoir de l'humour. *Tu es si sérieuse!* Elle expliquait que j'étais faite de porcelaine et qu'il était exaspérant de devoir toujours faire attention à ses paroles en ma présence. Je n'avais donc pas appris à vivre, à devenir une femme? Elle parlait gentiment, doucement, de la loi du plus fort, de la sélection naturelle. Elle me chuchotait: *Maintenant, tu te connais, tu sais que tu es faible, alors pourquoi ne vis-tu pas en fonction de cette faiblesse?*

Ça ne va plus du tout. Je mets un temps infini à me lever le matin. Quand je sors de la chambre, mes frères et mes sœurs, même Séta, se partagent déjà les assiettes de fromages, de fruits et de croissants. Ils ont l'air en pleine forme, ils discutent et s'échangent les pots de confiture sans discorde. Souvent, Séta prend la parole, interroge l'aîné sur ses plans de mariage et discourt sur les articles qu'elle lit dans les magazines. Et moi je ne sais plus quoi dire, j'ai l'impression de leur être étrangère. Pourtant, ils sont tous présents en moi, si présents que j'essaie de garder mon corps réuni et immobile pour ne pas être confondue.

La vie est devenue pour moi un travail de funambule. Je parviens encore à avancer sans tomber, mais des spasmes violents m'affolent, mon dos se courbe, comme appelé par le bas, par une femme qui crie mon prénom. J'ai mal. Au creux de ma poitrine, j'entends un grondement, un cri si grave qu'il me pétrifie. Parfois, seule dans ma chambre, je m'abandonne à ce cri. Je suis debout, les bras raidis et je crie de ma voix la plus profonde. Alors quelqu'un accourt et pose sa main sur ma bouche. Ce n'est pas Séta, c'est ma mère. Elle m'enlace et chuchote qu'elle a toujours admiré mon calme, ma douceur. Elle admirait cette façon que j'avais de traverser l'existence sans faire de bruit, sans blesser les autres sur mon chemin. Elle dit que j'ai été mise au monde pour apaiser Séta et que c'est en retrouvant cette mission que je regagnerai ma paix d'esprit. *Dans la famille, c'est Séta qui passe du chaud au froid sans crier gare, elle est passionnée, elle fera de grandes choses.* Elle ajoute qu'elle est contente de m'avoir donné naissance pour ma sagesse discrète qui sert à tout le monde. C'est en cela que je suis utile, car dans la famille, nous sommes tous un peu patraques.

J'ai beaucoup de difficulté à me concentrer depuis que j'ai perdu mon visage et je pense sans cesse à vous. J'aimerais vous rencontrer, Madame Berberova, Nina, puis-je vous appeler Nina, vous me comprendriez, n'est-ce pas? De toute façon, je travaille mal. Je n'arrive plus à suivre les conversations, mes oreilles sont douloureuses, on dirait qu'elles vont tomber.

J'écoute trop, je vous écris trop. Je mélange les mots qui vous sont destinés avec ceux des banquiers. Je tape n'importe quoi, des insultes à la chaîne, des cris, des mots d'enfant, et je remets les documents sur le bureau de mon patron et il ne se passe rien. Il ne dit rien.

Je n'arrive plus à vous écrire, Madame Berberova. Je n'ai plus de mots. On dirait qu'un grand vent est passé dans ma tête et a tout emporté. J'aimerais aller vous voir, Nina, parce que vous, qui êtes la mère de Sonetchka, vous pourrez me dire comment elle a fait pour mourir.

LUI

❖

En le frôlant sur le trottoir, j'ai d'abord croisé ses yeux, ses paupières lourdes, son regard sombre venant d'ailleurs, du Caire, de Beyrouth ou de Erevan, je ne sais pas. Puis j'ai remarqué son index courbé sur ses lèvres, sa marche lente, celle d'un homme en congé, malade ou inquiet. Je l'ai suivi. Il me rappelait quelqu'un, peut-être mon père au moment de son arrivée à Montréal, oui, mon père devait se promener ainsi, voûté, prêt à recevoir un coup.

De derrière, avec son sac à dos pâle et déchiré, je lui donnerais bien vingt-cinq ans, mais j'ai entrevu sa figure et elle en fait dix de plus. Il me semble entendre son cœur battre, il me semble qu'un enfant affolé s'agite sous son veston trop usé. Ce vêtement, il doit l'avoir rapporté de sa région natale, le Caire, Beyrouth ou peut-être Erevan. Il l'a mis dans sa valise sans penser qu'il le porterait tous les jours, même en période de canicule, alors que les filles de la métropole se déshabillent sous le soleil de juillet. Toujours, il veut se reconnaître. Son frère, sa sœur, sa mère aussi sans doute, lui conseillent de jeter ce veston, de s'en payer un neuf, ils proposent même de lui en offrir un autre. Mais il résiste.

Je le vois maintenant devant la vitrine d'une boutique inoccupée. Il replace ses cheveux et tire discrètement sur son pantalon trop court. Le tissu n'arrive pas à rejoindre son âge. Il ne demandera plus à sa mère de raccourcir ses pantalons. Ici comme là-bas, elle n'a jamais compris qu'il était devenu un homme. Lui a-t-il dit? Elle aurait dû savoir. Il chuchote : *c'est moi*, en se regardant immobile entre les visages blancs qui déambulent derrière lui, devant la rue large et propre, les autos roulant rapidement et les érables au loin. Il ferme les yeux. Il sourit. Je crois que dans le va-et-vient régulier des voitures, il entend le bercement de la mer. Je crois qu'à cette minute, il revoit les paysages qui l'ont vu naître. C'est un homme fidèle, beau. Triste aussi.

Ce matin, avant de fermer la porte de son appartement, il a admiré les dessins de sa fillette sur les murs, aperçu la bouteille de parfum que sa femme, trop pressée, avait oublié sur la table de la cuisine, et il a plongé son visage dans ses mains. Il n'a pas ouvert le flacon pour sentir sa compagne près de lui. Il voulait être seul.

Il devait aller au travail, vendre des bijoux, aligner des chiffres ou servir du café, je me le demande, mais il a pris congé. Pourtant il n'est pas souffrant. Un homme malade ne marche pas aussi vite, un être faible ne fonce pas vers le sud sans s'arrêter au bistro, au parc ou au métro. Mais où va-t-il ? Ses mains sont nerveuses, secouent sa chevelure, tombent dans ses poches, en sortent avec de petits papiers qu'elles roulent et déroulent. Un garçon en train de fumer le devance. *Excusez-moi, puis-je avoir une ciga-rette ?* lance-t-il avec cet accent que je reconnais mal. Le fumeur accepte puis aligne quelques mots sur le temps qu'il fait et le prix de l'essence. L'homme sourit et traverse la rue ; il ne voulait qu'une ciga-rette. Il a oublié le feu.

En marchant, il tente parfois d'engouffrer ses mains entières à l'intérieur de ses manches, en pre-nant garde à sa cigarette. Quand ses doigts arrivent à serrer la laine, ils en ressortent aussitôt parce que, évidemment, ce n'est plus de son âge. Il sait bien que ses mains doivent rester souples pendant qu'il paraît en public, il est bien élevé. Des mains cachées ou serrées en poing ne lui donnent pas fière allure, révèlent trop bien son malaise à tous les étrangers qu'il croise.

Devant le marché Ada, où je vais moi-même faire mes courses, les odeurs de café moulu, de fromage et d'olives noires bien huileuses le retiennent. Il entre. Deux fois ses yeux arpentent les allées, ten-tés ici par des pistaches, là par une figue fraîche ou encore un pain au sésame. Les prix sont élevés. Chez lui, il achèterait tout cela dans la rue pour quelques sous. Assis sur un tabouret derrière son comptoir, l'épicier suit son seul client du regard, les bras croisés, dans une légère indifférence. L'homme a choisi une jolie boîte de pois chiches recouverts de sucre multicolore, probablement pour sa fille. À la caisse, il regarde longuement les bouteilles d'eau de Cologne. *Je vais prendre la toute petite*, dit-il d'une voix de gorge mal assurée. Je l'attends à l'extérieur, soudainement inquiète d'être découverte. Il sort de la boutique dix minutes plus tard, une main sur l'estomac, avec cet air d'après l'amour.

Plus loin, un chauffeur d'autobus en pause-café lui tend son paquet d'allumettes. Côte à côte, ils en grillent une, puis une deuxième. Lorsque le véhicule repart en direction du sud, l'homme au veston est à bord. Une femme vêtue d'une large robe noire et portant sur sa figure certains de ses traits à lui est assise à ses côtés. À ses pieds, un panier d'abricots et dans ses mains, un chapelet brillant qu'elle tient bien serré.

Les effluves d'Orient de chez Ada se sont déjà dissipés. L'homme est de nouveau prisonnier de son corps, celui-là qui, un jour, a tenu des valises, pris l'avion et débarqué ici, sur de nouvelles plaines, captif de ce squelette qui tremble autant à l'idée de repartir qu'à celle de s'habituer à vivre comme les autres, en Amérique. Son frère, sa sœur, sa mère aussi, j'en suis sûre, tentent de le convaincre de s'installer, de ranger ses vêtements dans les tiroirs de sa commode, d'oublier la voix qu'il avait là-bas. Mais il en est incapable.

La femme au chapelet semble drôlement sereine. Entre elle et lui, le contraste est frappant. Elle plonge la main dans son panier et lui tend un de ses abricots. *J'en ai beaucoup trop de toute façon*, dit-elle en éclatant de rire. Elle descend au coin de Sherbrooke, il en est soulagé. À présent, il colle le petit fruit à son nez, frotte la pelure douce contre ses lèvres et le roule doucement, longuement sur ses joues. Il pleure. Lorsqu'il descend de l'autobus au coin d'Ontario, le chauffeur lui tapote l'épaule.

L'homme croque l'abricot, regarde sa montre et se met à courir en direction du pont Jacques-Cartier. Il monte prestement cette énorme structure avec la démarche de celui qui veut la traverser. Les ponts ne lui font pas peur. Les entre-deux, sa vie retenue par un fil, la fragilité, les choses comme ça, il en a l'habitude et n'en souffre plus. C'est ce qu'il croit. De toute façon, il a toujours été à mi-chemin entre ce qu'il est et ce qu'il aurait voulu être. Et même ici, le corps courbé sur la rampe de métal, sa tête bougeant de gauche à droite, il sait trop bien qu'il n'ira pas jusqu'au bout. Quelque chose le retient mais il n'en connaît pas encore la teneur. *Ton ambivalence t'égare*, lui disait son père. Son père. Lui qui vit entre les livres et les photos d'avant, lui dont la parole s'est tue depuis l'émigration.

Il sent l'eau de Cologne. Croque les pois chiches.

Il fouille dans ses poches, trouve un mouchoir de papier, des factures. Il choisit la facture et griffonne :

«Pourquoi maintenant, maintenant alors que j'ai tout?» Il lève la tête et respire un grand coup. Il doit s'arrêter. Choisir. C'est vrai, son père a raison. *Je veux retourner sur ma terre, voir mes paysages,* souffle-t-il au Saint-Laurent. *Je ne suis pas sûr de vouloir partir,* murmurait-il à la Méditerranée, au Nil ou au lac Sevan, je n'ai pas encore compris, avant son exil, il y a peut-être deux ans. Sa sœur, son frère, sa mère surtout, l'ont convaincu de venir les rejoindre ici, pour le père, parce que ça lui ferait du bien d'avoir son benjamin près de lui. Ils ont dit : *Fais-le pour lui.* Il ne savait pas dire non, il habitait l'Orient, aujourd'hui il a appris. Voilà une des choses qu'il doit aimer de ce pays : la liberté de se choisir. À présent, il s'en souvient. Ce froid, il ne l'a donc pas vécu pour rien.

Il enlève son veston, le plie délicatement sur son bras. Entre les vents de l'est et de l'ouest qui s'entrechoquent sur le pont, il se sent bien. Maintenant, il va rentrer doucement chez lui et cuisiner pour elles. Ensuite, peut-être, il leur demandera conseil. J'imagine sa femme le regarder tendrement, soulagée qu'enfin il parle. Sa fille, il n'en doute pas, le préférera là-bas. De toute façon, il a le sentiment d'y être resté. Aussi, ce soir, je crois qu'il téléphonera à son père.

Au moment du retour, sur le pont, il croise la femme aux abricots. Que fait-elle là? Son air est toujours aussi joyeux. Elle ne semble pas le reconnaître, sourit comme pour la première fois. *Voulez-vous un abricot?* dit-elle encore. Il dit non et son estomac se noue. *Tout va bien?* lui demande-t-il, juste pour voir. *Tout va bien*, répond-elle avec assurance. Alors il rentre, il est fatigué. Et moi, je reste là encore un peu à regarder cette femme rêvasser devant les vagues du fleuve.

Après-demain, dans le journal, l'homme lira sans doute que ce soir, quelqu'un l'a fait sur le pont Jacques-Cartier. Elle s'appelait Marie, elle aimait les abricots et n'était pas d'ici. Il ne la connaissait pas. Elle était plus jeune que lui, croyait en Dieu, n'avait ni descendant ni mari, mais une mère qui lui taillait toujours des robes aux formes d'enfants. Je la connaissais.

Mais pas lui. Pas lui.

JE PARLE D'UN PAYS
QUE JE NE CONNAIS PAS

❖

Les yeux fermés, un instant, je vois ce pays que je ne reconnais pas. Je me rappelle la complainte du Sphinx et les berceuses arabes que ne m'ont jamais chantées mes ancêtres. Puis je me sens bien, là, ici. Comprise, harmonieuse dans ce lieu aux contours lointains. C'est pareil à deux grands yeux qui se regardent. Le temps s'arrête, l'homme descend et demain n'est déjà plus qu'un rêve. On ira là. Mais quand?

Cette nuit, j'ai rêvé de mes souvenirs. J'ai rêvé de mes parents et de moi. Nous revenons de la plage et le soleil nous traverse le corps. Une enveloppe brune traîne sur le seuil de la porte. Tous, nous savons d'où elle vient et retenons notre souffle pendant que mon père la ramasse et la déchire. Il lit vingt fois « acceptés » et ne sait pas sur quel ton l'annoncer. Son regard humide trempe celui de ma mère. Il dit : *Nous sommes acceptés. Nous allons partir.* Ma mère n'arrive pas à y croire. Elle scelle sa bouche de ses mains et court annoncer la nouvelle à sa famille. Les larmes naissent maintenant sur mon visage et le sel de la mer me torture à nouveau. Je prends mon frère et ma sœur entre mes bras et cours avec mes sandales mal attachées. Je cours vite pour l'espoir, pour le malheur, pour oublier.

Je me suis réveillée essoufflée et me suis mise à cuisiner. Des pains épicés et des œufs à la coque. Du café turc et un jus de mangue pour le régal de mes enfants, les merveilles qui me sauvent de la solitude, qui m'écoutent et me donnent des conseils à l'américaine. J'engloutis la chair de la mangue et lèche lentement le noyau. Je reste les yeux mi-clos, la saveur de ce fruit doux et sucré me pénètre les papilles. Je chuchote *comme j'aimerais aimer* et mon chagrin tombe sur le comptoir. Je me ressaisis puis remercie le ciel d'avoir des enfants si adultes. Ce matin, j'aimerais m'asseoir au bord de la Méditerranée et inventer des histoires d'amour, mais je suis déjà mariée à un homme d'affaires sérieux et très fier d'avoir une femme qui ressemble à Ornella Muti.

Je me suis éteinte dans une région froide au cœur de ma nouvelle terre. En préparant le thé, en posant des biscuits secs sur une assiette blanche et en les tendant à d'autres qui ne me ressemblent jamais. Dans le premier tiroir de ma table de nuit, un cahier rose dort depuis des lunes. À l'intérieur, une seule page et une phrase de Sartre : « L'important n'est pas ce qu'on a fait de nous, mais ce que nous faisons nous-mêmes de ce qu'on a fait de nous. » Oui, j'aime répéter que je suis forte comme un tigre. *Je suis insubmersible*, dis-je aux enfants lorsqu'ils me regardent après une tempête. *Je suis un tigre, je suis un aigle et je vais bien.*

Mes mains s'étendent sur mon regard. Dans leur paume, mon pays et les femmes âgées courent au milieu de la rue pendant que les marchands y passent. Elles ramassent rapidement des fruits, des olives et du fromage. Moi, toute petite, j'observe les femmes s'engueuler pour quelques sous, le marchand d'olives croquer dans un de ses bijoux et s'en lécher les doigts. Je respire même ses mains de ma cachette. Puis j'entends la prière que mon père n'a jamais chantée, hume la fumée réconfortante de la braise oubliée par quelques promeneurs. J'ouvre les yeux. Je la tiens enfin, cette odeur perdue depuis des années. C'est un feu rouge, épicé, criant d'amertume.

Qu'est-ce que je fais ici ? dis-je, doucement furieuse. Ma salive s'écoule difficilement tandis que je marche vers la chambre des petits. Ils sont là, ils sont encore là. Je remonte vers la cuisine et touche soudainement le sable de mes pieds nus. J'entends ma mère, ma grand-mère et ma tante qui discutent en buvant de l'eau à la fleur d'oranger. Je sens l'eau de Cologne avec laquelle ma mère m'asperge lorsque je suis fiévreuse. La camisole de coton, si chaude, portée même les jours de vacances. Mon pays, c'est la crème glacée aux pistaches achetée au vendeur itinérant. C'est mon père heureux. Mon teint, ma peau, l'odeur fruitée de ma peau brune.

Ici, là, je fume une cigarette en attendant que mes responsabilités se réveillent. Mes lèvres pulpeuses et voraces sont lignées de morsures pleines de retenue. J'ai le corps en désir et la timidité excessive. Mon mari, lui, a le vêtement rigide et travaille beaucoup. Le soir, il n'enlève qu'une partie de son costume. Pour oublier, je cuisine : feuilletés aux épinards, feuilles de vigne, courgettes farcies. La nourriture contre mon bonheur. La nourriture pour signifier mon amour, ma solitude. Tout à l'heure, je ne mangerai rien.

Par chance, j'ai mes enfants. À l'instant, ils se réveillent, cherchent les biscuits de Monsieur Christie puis s'assoient devant la télévision. Je m'installe à leurs côtés et les regarde en me promettant de les convaincre que le lieu de l'enfance ne doit pas être oublié. Ma mère à moi ne m'a jamais parlé de sa naissance dans le pays inconnu. J'ai appris plus tard, dans les livres, que ses ancêtres vivaient au milieu des montagnes et qu'ils avaient eu très froid.

Je promets que mes enfants sauront expliquer la différence entre ici et là-bas. Ils sauront m'entendre lorsque je leur parlerai de mes cils épanouis et de mon génie pour les sciences. Ils s'imagineront et me croiront. Ce sont mes enfants, ils m'aideront. Ils seront mes racines, ma vigne et mon flambeau.

Je pleure, mais je sais qu'il ne le faut pas devant eux. Je pleure parce que là-bas c'était mon enfance, parce que là-bas c'était moi.

• • •

Mon frère et moi, sur le canapé devant la télé bruyante, nous nous regardons et ne savons plus, nous non plus. Mon frère ouvre un livre sur l'évolution de l'homme pendant que je m'applique à réconforter ma mère. Je repense à hier, lorsque je lui ai présenté une petite fille ne parlant que l'arabe. *Maman, elle ne parle pas français, peut-être pourrais-tu discuter un peu avec elle ?* Ma mère n'a rien dit. Elle a souri tristement et s'est enfuie dans la salle de bain.

— Maman, hier, pourquoi n'as-tu pas parlé en arabe à la petite fille ?

— Je ne savais pas quoi faire...

— Mais maman, elle était seule. Elle ne parle pas français.

— Je ne savais pas quoi faire.

Elle pleure. Ma mère pleure encore sur ma petite épaule de cinq centimètres. Et moi je pense à ce pays que je ne connais pas. Je sens l'abricot que je n'ai jamais croqué frais. Sa sève est si bonne sur mes lèvres que le pays auquel je rêve est à côté, voisine mon âme et fait battre mon cœur. Le désir de voir, de toucher la terre et de lui dire, avant tout, qu'elle me manque.

Partir

❖

C'est la pluie qui nous a réveillés. Une pluie bruyante, volontaire, qui ne se soucie de rien sauf d'elle-même, sans égard aux enfants en route vers l'école, aux chats sauvages ou à moi, qui avais prévu quitter Lévon, partir d'ici, peut-être, cet après-midi. Dehors, otages des bourrasques, les arbres s'unissent et se séparent comme des amoureux en peine. Les petites collines de terre abandonnées par les hommes de la construction sont devenues des volcans boueux, inoffensifs. J'entends mon bien-aimé qui ferme les fenêtres d'un geste brusque en courant partout dans l'appartement. Qu'il y ait un peu d'eau à l'intérieur, mais qu'est-ce que ça peut bien faire ? C'est si beau d'entendre cette colère.

— Il pleut ! crie mon père de la cuisine.
J'arrive, sautillante, pour recevoir ses ordres.
— Fais les chambres, je m'occupe du reste !
Ma grosse tresse se balance de gauche à droite pendant que de toutes mes forces je ferme les doubles fenêtres. Aujourd'hui, jour béni, personne ne

sortira d'ici, nous resterons ensemble puisque dehors il fait tempête. Peut-être écouterons-nous de vieux films enregistrés ou cuisinerons-nous des feuilles de vigne, des pizzas, n'importe quoi nécessitant du temps et plusieurs mains. Si maman peut seulement se lever pour que nous commencions la journée! Elle dort plus tard que mon frère qui, dit-on, commence à être adolescent. J'irai donc moi-même la réveiller, puisque je dois m'assurer que pas une goutte de pluie ne pénètre dans la chambre de mes parents. Doucement, je tourne la poignée et à pas de loup, je me rends à son lit. Mes petites fesses se posent discrètement sur le bout du matelas. Elle est belle, ma mère.

—Maman, maman! Réveille-toi, paresseuse! Il est dix heures!

Ses lèvres se serrent, ses paupières aussi; elle ne dormait donc pas.

— Lâche-moi... Je suis fatiguée.

Pas un souffle de plus, pas un geste ni une tendresse. Ma pensée s'arrête brusquement, quelque chose brûle dans ma poitrine.

—Il faut fermer la fenêtre quand même, lui dis-je.

Celle-ci est vraiment difficile. Je tire de toutes mes forces mais elle est trop lourde. Quelque chose ne va plus. J'ai envie qu'il fasse beau tout de suite. Je veux être à l'extérieur. S'il y avait du soleil, j'appellerais Mimi et nous irions jouer au parc. De toute façon je parle trop, elle veut du silence, elle veut vivre ailleurs que dans cette maison fermée à double tour, rejoindre à nouveau la liberté de ses rêves, être sans moi. À l'extérieur de sa grotte, je vois le salon jaune et dedans, mon père et l'aîné lisant en silence. Après m'être glissée sous le bras de papa, je pleure un peu.

J'aime la pluie. C'est commun. Aujourd'hui tout le monde le dit. Les gens dressent la liste des raisons qu'ils ont d'aimer la vie et ils écrivent : la pluie, le café au lait, les soirs d'automne. À cela, j'ajouterais le pull rose que je viens d'enfiler parce que la pluie fraîche est toujours aussi intense et que notre nouvel appartement est diablement mal isolé, le thé au lait et les biscuits secs éparpillés dans une assiette. La journée avance mais je n'y suis pas. Lévon lit étendu sur le canapé du salon. Django joue à la radio par-dessus le vrombissement rassurant de la sécheuse. Je devrais travailler, comme d'habitude, mais chaque goutte d'eau fait résonner ma mémoire, me distrait. De toute façon j'avais prévu partir.

Il pleut. Papa travaille, mon frère est dans son monde et moi, avec ma mère. La journée sera douce. Nous cuisinerons des biscuits, c'est elle qui me l'a annoncé ce matin lorsqu'elle est venue me réveiller. Je me demande si elle a envie d'entendre mes histoires. J'en ai tout plein à raconter : Sophie a reçu un chien à sa fête, il a mangé le bracelet en bonbons de Mimi... Non, pas maintenant. Elle a besoin de calme.

Une fois les petits ronds de pâte bien alignés et la plaque graisseuse avalée par le four, maman propose de voir grossir lentement nos gourmandises en s'assoyant là où c'est chaud, où ça sent bon, c'est confortable. Moment sublime pendant lequel nos esprits se fusionnent, seules au monde devant ce théâtre réconfortant. Parfois elle échappe quelques larmes, alors je serre sa main un peu plus fort. Grâce aux orages qui nous tiennent prisonnières, je peux m'assurer que sa journée sera bonne. Ainsi, ce soir, au souper avec mon père, si elle est calme et heureuse, tout se passera bien. Il n'y aura pas de cris, les assiettes resteront sur la table jusqu'à la fin du repas et peut-être même que nous oublierons de les laver tant la vie aura été sucrée.

— Ça va ? demande Lévon.

Mon regard est fuyant.

—Je ne sais pas.

Comment expliquer ça ? J'ai cette vie que j'aime, mais ma mémoire m'entraîne indéfectiblement ailleurs. Elle marche à travers les moments de mon existence sans pouvoir s'arrêter, pareille à cette pluie qui se plaint encore trop fort.

—Je me sens étourdie.

Il remue légèrement la tête et ferme doucement les paupières. Il a compris. J'ai envie de le retenir, de dire qu'un jour j'y arriverai, je serai longuement entière avec lui, mais peut-être aussi que je partirai, que j'irai pleurer seule, la conscience tranquille, pour ne plus voir l'ombre de ma mère dans le reflet de ses yeux.

— J'ai besoin d'être seule.

— Je vais te laisser, répond-t-il. Pour le moment, ajoute-t-il en souriant.

Cette âme douce referme la porte avec précaution, et la mienne vieille, pourrie, voleuse des manies maternelles, ne peut pas, encore, prendre à pleines mains ce moment nouveau.

«Bizzz!» La sonnerie du four sort ma mère de sa torpeur. C'est prêt! Sa main parfaite dépose quatre biscuits au chocolat dans un bol.

— Va les partager avec ton frère, au sous-sol.

Sa voix tressaute, rien ne va plus. Maintenant, tout ce qu'elle désire, c'est parcourir lentement le désordre de son existence, refaire un à un les pas qui l'ont menée à cette vie qui semble s'être construite sans elle. Tout à l'heure, étendue, elle voudra retrouver l'âge auquel elle s'est abandonnée pour la première fois. *L'an dernier, non. Il y a cinq ans, non plus. À vingt ans?* Ce sera trop dur, elle perdra patience. Comme d'habitude.

Lourdes et tremblantes, mes jambes d'enfant finissent par descendre l'escalier. Toujours, je sens que ma mère se dérobe, voudrait s'envoler, faire disparaître aussi son corps. Je tends l'oreille vers le haut pour percer les sons qui me viennent de sa vie. Elle est entrée dans sa chambre et a refermé la porte. Peut-être croit-elle que personne ne la comprend, ne l'aime? Mais moi, oui! Je grimpe à toute vitesse, puis cogne à sa porte.

— Va-t-en! crie-t-elle. Laisse-moi tranquille! Reste avec ton frère!

Tête basse, je rejoins celui-ci en tournicotant une mèche de cheveux autour de mon doigt et en la mouillant parfois de salive pour la rendre bien lisse. Il regarde un quiz à la télévision en feuilletant un livre sur les planètes. Qu'est-ce que je peux faire? Je n'ai pas appris à exister seule et je n'aime pas les poupées. C'est ma mère que je voudrais bercer. Je m'allonge sur le tapis aux poils longs en le caressant comme s'il était un petit animal. J'attends. Elle sortira bien de sa chambre et si ça se passe comme dans mes rêves, elle viendra me voir pour me dire que j'ai changé sa vie et qu'elle est maintenant la femme la plus heureuse du monde. Mais si elle s'en allait, j'aimerais la suivre.

— Sortons souper! hurle Lévon du salon.

— Mais il pleut, que je me chuchote avec ma voix d'enfant. Mais il pleut!

Il arrive, c'est toujours lui qui vient vers moi.

— La pluie n'a jamais tué personne, réplique-t-il.

Je sais bien, mais la pluie, le soir, quand elle brouille ma vue et barre mon passage, quand tard dans la nuit elle n'a pas terminé de rugir, je ne l'aime plus. Que ces cordes soient encore balancées d'en haut dans la noirceur alors qu'elles ont commencé leur chute avec l'aube, n'est-ce pas le signe d'une défaite? Le monstre n'a pas encore retrouvé son antre, ne ferions-nous pas mieux de rester ici, ensemble, protégés, au cas où nous le rencontrerions pendant que nous avançons dans la rue, entre les volcans et les arbres déchaînés? Si ma mère n'est pas partie, il devait bien y avoir une raison, elle craignait peut-être quelque chose... Je relève la tête. Lévon a les yeux de celui qui s'inquiète sincèrement, patiemment. Je n'ai jamais rencontré ce regard-là.

Il ne pleut pas tous les jours. Pourtant, elle dort toujours dans le même lit, dans la même chambre, auprès du même époux. Je pourrais bien me détourner de tous les hommes de la terre, cela ne changerait rien. Ma mère resterait. Alors pas cette fois, pas avec celui-là... Si j'arrivais seulement à effacer toute trace de son regard triste, celui qui ne s'adresse de toute façon jamais au mien et qui semble dater d'avant ma chair...

— D'accord, Lévon, sortons. Partons ensemble. J'ai besoin de la pluie.

Le vide dans nos yeux en amande

❖

Il est là, tous les jours, à l'appeler dans la lumière, dans la nuit. Les mêmes gestes, les mêmes histoires. *Où es-tu ? Reviens ! Ne me laisse pas tout seul ! La vie est difficile sans toi.* Je ne sais si cette femme qu'il réclame est sa bien-aimée, sa mère, sa fille ou une amie, mais ses mots remuent en moi des douleurs que je ne voulais plus voir. Il a perdu une femme qui lui était chère et ce grand fou, ce vieux maigre et recourbé aux yeux gonflés et à la barbe nette, l'attend encore. Il fait les quartiers, comme il dit, certain qu'elle est ici, dans la ville bruyante où moi-même je suis venue m'assourdir. Il doit avoir soixante, soixante-dix ans, ce pourrait être mon père.

Au moment où les familles s'assoient à table pour souper ensemble, moi, je rejoins mon chat sur le canapé vert et dans la faille de mes rideaux, j'observe ce vieil acharné hurler son désespoir. J'aime comment il raconte et je m'attache à sa perdue, sa mystérieuse. Cette femme qui n'est jamais rentrée le soir où il l'attendait, vers huit heures, prêt

à lui servir à manger, disposé à prendre de ses nouvelles, les accepter et lui sourire avec tendresse. Il
l'aimait malgré sa maladie, son mal, son souci, sa
souffrance. Il ne sait pas comment nommer cette
chose qui la déchirait et qui semble l'avoir séparée
de lui, et il manie les mots avec délicatesse, comme
si de là où elle est, elle pouvait tout entendre. Il
ne veut pas lui faire du mal.

Cet homme et moi avons la même couleur de
peau, le même accent, mais lorsque je le vois qui
éponge ses larmes et sa sueur en se défaisant l'âme,
je ne bouge pas de ma place. Je voudrais bien lui
venir en aide, mettre ma main sur son épaule et
observer son visage, mais j'en suis incapable. Ses
paroles me paralysent. Quand je sors de chez moi,
je sens son regard sur mes cheveux sombres et
mon teint foncé, comme si j'étais celle qu'il cher-
chait. Pourtant je ne le suis pas. Le vide dans mes
yeux en amande doit lui rappeler quelque chose.
Ils sont morts, je le sais, les autres le remarquent
et chaque fois que j'avance dans la rue, je ne sais
plus où les poser. Je ne veux pas faire peur à ce
vieil homme, même si parfois je voudrais le chas-
ser. Son corps gris qui ne demande rien me trans-
perce. Comment ose-t-il afficher sa peine à la ville
entière, où a-t-il appris cette manière de faire?

Je l'écoute en fumant une cigarette sur le bal-
con, il fait doux et le chant des grillons nous apaise
lui et moi, je peux le sentir. La soirée est calme, les

lèvres du vieux sont pâles, il est fatigué et ses paroles résonnent maintenant dans sa langue d'origine. Je pourrais presque m'endormir, bercée par ses mots tristes, si beaux, mais les voix aigres de deux vieilles femmes m'éveillent. Elles se dirigent vers lui, étouffées sous des robes sombres et longues. J'arrive à voir des chevilles enflées par la chaleur et des pieds lourds. Leur marche est lente, on dirait qu'elles traînent avec elles tout leur arbre généalogique. L'une d'entre elles me rappelle ma grand-mère d'Égypte, l'autre ne m'inspire rien de bon non plus.

— On nous a dit que tu hurlais un peu partout dans la ville. Que se passe-t-il, mon frère ? Tu cherches Miriam, encore ?

Elle s'appelait donc Miriam, cette femme. Je connais son prénom, je peux l'imaginer, voir sa lumière. Lui ne dit rien. Ses yeux dans les fissures de la chaussée, son ventre gonflé, la respiration ardue.

— Arrête, ne nous fais pas honte. Elle ne reviendra pas, ne l'as-tu pas compris après toutes ces années ? Qu'est-ce qui te prend ? Elle ne reviendra pas, elle a disparu depuis trop longtemps.

Les vieillardes argumentent en se tirant la peau de la gorge, s'étouffent parfois. Leurs mots peinent à sortir et il m'apparaît évident qu'il en manque quelques-uns, trop enfouis, qu'elles ne se forceront pas à déterrer pour lui, pas aujourd'hui. Une des femmes s'en va déjà, l'autre piétine sur place, regarde ailleurs et agite ses doigts comme pour en enlever une saleté qui ne décolle pas.

— Rentre chez toi, tu me fais de la peine, murmure-t-elle avant de partir.

— Oui, rentre chez toi, dit une autre voix.

C'est la voisine du dessous, la voyeuse qui me regarde comme une bête depuis mon arrivée ici. *De quelle sorte d'arabe il est; il vient d'où?* me demande-t-elle. Je hausse les épaules. *De toute façon, vous vous ressemblez tous.*

Dans le miroir, je vois ma bouche charnue et droite comme l'horizon, mes yeux somnolents et mon front tendu. Ce n'est sans doute qu'en cela que nous nous ressemblons, moi et le vieux. La ligne de ses lèvres tire aussi vers le bas et son regard ne dit plus rien de son histoire, son exil. Je me demande dans quelle chambre, près de quel fleuve, il a vu le jour. À son âge, il ne semble pas s'aimer beaucoup. Il est mon père de tristesse.

Ce que j'ai vu dans la glace ne peut pas ajouter à ma honte. Je suis laide et cela m'indiffère, je m'en fiche. Est-ce possible? J'aimerais pleurer, mais il ne me reste plus rien.

Le lendemain, l'homme revient, avec ses gestes et sa mémoire d'elle. Il est tenace. J'ai maintenant l'assurance qu'il sait que derrière mes tentures, je l'épie. Je crois qu'il s'adresse parfois à moi et cela me gêne beaucoup. J'ai l'impression qu'il me devine et m'ébruite à tout le quartier. Il parle de perte de l'autre et de soi-même, d'isolation, de monde sans âme. Il dit son ennui, les rues larges sans enfants, les magasins de nourriture qui sentent la Javel, sa langue qu'il oublie. Il raconte son pays et le mien se dévoile. Je voudrais qu'il arrête.

Je suis dans la chambre à coucher, étendue sur le dos, mes mains protégeant mon ventre, et je tente de me mettre dans la peau de cette Miriam, mais quelqu'un cogne à ma porte. Il pleut, c'est lui. Il me tend la main, la main d'un ami. J'ouvre sans peur. *Une chaise, du café ?* Il dit oui. Je sais qu'il a faim, j'aurais aimé avoir cuisiné quelque chose de bon. Nous restons là, en silence, pendant plusieurs minutes. Ensuite il pleure, devant moi il pleure. Je le regarde tristement, sans savoir quoi dire ou quoi faire. Comme un magicien, il sort un grand tissu de sa poche et il se mouche bruyamment. Ça me donne envie de rire. *Et vous ?* dit-il doucement, au moment où je croyais qu'il allait partir. *Moi ? Non, vous, parlez.* Moi, j'en suis incapable, mes lèvres sont collées, je devrais boire un peu d'eau. Il observe longuement la cuisine. *Chez moi, on place dans chaque pièce un bijou, un bibelot, pour éloigner le mauvais œil. Vous n'en avez pas ?* Je voudrais m'effacer, l'effacer et faire disparaître cet appartement décoré simplement, le plus loin possible de moi, exprès. En arrivant ici, j'avais voulu faire table rase. *Qui êtes-vous, mademoiselle ?* Je le laisse là, je sors marcher.

Dehors, c'est le grand vide. La pluie est chaude et vaporeuse, comme une caresse inattendue, déconcertante. Mes jambes tremblent, je marche vers nulle part et j'entends son cri, déjà lointain. *Revenez! Ne partez pas! Je peux vous aider! Nous parlerons.* Je pense à mon père qui ne m'a ni regardée ni adressé un mot avant que je parte pour toujours. À mon frère qui m'a accusée de les abandonner, de vouloir les tuer, d'être égoïste, capricieuse. Je songe à Miriam. Miriam... Où est-elle donc? J'aurais voulu la connaître, je l'aurais comprise, nous aurions été près l'une de l'autre. Le vieux s'approche de moi, il est là. *Attendez, je ne voulais pas vous effrayer.* Nous marchons ensemble. L'air est lourd. Je ne sais plus ce que je suis venue faire ici. Je ne me reconnais pas. La route est longue devant nous. Il m'enlace. Je me laisse guider, comme avant. Je ne sais si je suis sa mère, sa femme, sa fille ou une amie.

HASMIG

❖

La table était pleine. Pourtant je n'avais rien demandé. Hasmig servait à sa mère et moi du pain, des fromages, du café, des viandes froides et tant d'autres choses que je me sentais mal à l'aise de la voir se démener ainsi, moi qui avais déjà dîné. L'arôme rassurant du café se mêlait aux relents de lait caillé et de fumier qui imprégnaient la maison et finissaient, bizarrement, par être agréables.

Une femme du village m'avait conseillé de cogner à la porte de Varti. *La fermière s'est fait voler son fils, elle pourra te raconter,* m'avait-elle dit. Oui, je cherchais ce genre d'histoires pour mon reportage sur les suites de la guerre du Nagorny-Karabakh et jusqu'à maintenant, dans ce petit village au sommet du Karabakh, je n'avais trouvé que des murs sans toit et des vaches maigres broutant près des tanks abandonnés. Cet après-midi-là, j'avais tenté tant bien que mal de suivre les routes boueuses et crevassées qui me menaient chez la fermière. Sur le chemin, la brume m'avait empêchée de distinguer les maisons habitées des autres, laissées à elles-mêmes. Dans un immeuble de plusieurs étages, les fenêtres d'un appartement avaient été fracassées, mais il y avait de la vie. Tout à côté, la porte d'un logement battait au vent et il ne restait plus rien à l'intérieur, sauf peut-être, dans les ruines, un peigne, des morceaux de Lego ou des cartouches. Le reste avait disparu, volé par le temps ou des mains jalouses.

Chez Varti, une pièce profonde et étroite tenait lieu de salle à manger. On avait accroché des tapis aux murs sans pouvoir camoufler certains trous d'obus. Personne n'avait pris le temps de refermer les dernières failles. Dans un frisson, j'attachai mon manteau et posai mes mains sur ma petite tasse de café pour les réchauffer. La vieille femme qui me faisait face souriait tristement en fixant mes yeux bruns d'étrangère. Notre sang était le même, mais je venais d'Amérique et Varti n'avait jamais quitté sa terre ancestrale. Pendant que Hasmig peinait à déboucher des conserves de poires et d'abricots, sa mère se souvenait des noms de leurs anciens voisins. De la fenêtre barbouillée, sa main large et rocailleuse pointait vers l'extérieur.

— À gauche habitait Vahan, c'était un bon ami de mon fils. Là-bas, Houri tenait une petite bibliothèque. Et un peu plus loin encore vivaient les parents de mon mari.

Elle ne me regardait pas. Tout à l'heure, j'avais à peine ouvert la bouche pour expliquer la raison

de ma visite que son visage de vieille s'était durci.
Il y a dix ans, d'ici, elle avait vu des fedayins se battre
et des maisons exploser. Inquiète de l'absence de
son fils, elle était sortie marcher dans les pas minés
des soldats pour examiner les dépouilles. Ses doigts
rouges n'ont jamais vu son visage. Moi, à l'époque,
je me souviens d'avoir regardé une femme pareille
à elle pleurer la mort dans mon téléviseur.

— Vous désirez que je vous raconte mon histoire ?
me demanda Varti, en collant sa main contre sa
bouche comme pour se faire taire.

Après m'avoir tendu la chaise la plus confortable
de son foyer, cette mère hésitait maintenant à me
raconter ses souvenirs. Hasmig s'était assise près
du poêle pour se chauffer un peu. Elle devait avoir
à peu près mon âge, environ vingt-cinq ans. C'était
une jolie fille. À Montréal, elle aurait probablement
laissé sa chevelure descendre sur une robe moulante,
ajustée à sa taille fine. Je l'imaginais bien marcher
sur l'avenue Saint-Laurent et promener ses yeux de
louve entre les hommes et les boutiques. Mais ici,
cachée sous une pile de chandails de laine, vieillie
par son travail et le froid qui s'immisçait partout dans
cette maison d'été soumise à de rudes hivers, elle
avait un je-ne-sais-quoi d'inquiétant. Elle ne m'avait
pas souri une seule fois depuis mon arrivée.

— Parlez-moi de votre fils, demandai-je à Varti.

Elle se recula spontanément de la table pour mieux
regarder dehors. Il n'y avait rien d'intéressant.

Seulement un âne et une vache qui marchaient en cercle l'un derrière l'autre comme s'ils étaient en punition.

— Une femme du village m'a confié qu'il a été fait prisonnier par les Azerbaïdjanais pendant la guerre. Elle m'a dit que vous savez qu'il est toujours vivant ; quelqu'un l'aurait aperçu.

— Je préfère vous parler de ma Hasmig.

— *Votch ! Mama !* lança soudainement la jeune femme en se levant.

— Aujourd'hui, l'histoire de Hasmig est plus importante, poursuivit la mère sans même se retourner vers sa fille.

— Pourquoi ? *Intchou ?* cria l'autre violemment.

Je regardai mon assiette en espérant lire dans sa blancheur les mots que je devais prononcer, mais avant que je puisse trouver le bon, Hasmig passa en coup de vent derrière mon dos, ouvrit une porte et sortit de la pièce en pestant contre sa mère.

La femme du village m'avait raconté que cette mère était affaiblie par le chagrin. Mensonge. Varti m'était d'abord apparue fragile, prudente, mais de son corps émanait à présent une force terrible que je commençai à craindre. J'aurais voulu que le jour tombe pour partir en douceur, mais maintenant, alors que la table était mise, je ne pouvais plus partir. Ça ne se faisait pas. Pas ici.

—Hasmig a été violée par un soldat ennemi, commença tout doucement Varti, comme si elle racontait une histoire pour enfants. Il l'a forcée, ce n'était pas très loin de la maison. Puis elle est tombée enceinte. Évidemment, l'Azéri ne l'a pas su, il était rentré à Bakou. Et ma fille s'est fait avorter.

Ma salive s'écoulait de plus en plus difficilement dans ma gorge. La femme me fixait avec insistance comme si elle attendait que je m'excuse. Je lui signifiais silencieusement ma sympathie.

—Vous comprenez, j'aurais voulu qu'elle garde cet enfant.

Hasmig frappa vertement contre le mur. Varti poursuivit sa litanie :

— Il fallait qu'elle le garde, elle aurait dû le garder.

J'avais envie de partir. Varti devint plus accaparante. Elle m'avait vue trembler.

—Restez encore un peu pour que je vous explique. Buvez votre jus, *sourdj gouzek*, café ? Prenez quelques abricots de notre jardin, ils sont délicieux. J'aurais voulu qu'elle garde l'enfant pour l'échanger. Contre mon fils. Vous voyez, que cet enfant devienne une monnaie d'échange.

Non, je ne comprenais pas. Je savais bien qu'à la suite des hostilités, des femmes arméniennes et azerbaïdjanaises avaient échangé pacifiquement leurs maris ou leurs fils faits prisonniers de guerre. Il arrivait bien qu'un homme vivant soit échangé contre le cadavre d'un autre, mais un fils vivant contre un bébé naissant, ça non, non, je n'en avais jamais entendu parler. Varti me scrutait encore

très sérieusement, les deux mains dans mon assiette à me servir. J'avais l'impression d'être plon-
gée dans un bain d'eau glacée ; c'était une histoire
de l'enfer et je commençais à comprendre que
cette famille n'avait pas survécu à la guerre du
Nagorny-Karabakh.

— Je n'étais pas d'accord avec cette opération,
poursuivit-elle d'une voix radoucie. Mais elle l'a
fait. C'est du passé, d'accord. Vous savez, je me
disais, Dieu nous a envoyé ce deuxième malheur,
cet étranger avec ma fille...

Elle se tut un instant, cacha son regard dans
l'ombre de sa paume puis continua à réfléchir à
haute voix.

—... alors à quoi bon, vous voyez, à quoi bon si
nous n'en profitons pas ? *Intchou tche* ? Je n'ai pas
retrouvé mon fils et ma fille est comme morte,
aujourd'hui. Je ne la reconnais plus...

— Pourtant, madame, si votre fils avait réelle-
ment disparu, dis-je en pesant mes mots, cet enfant, né du viol de Hasmig, n'aurait pas pu être
échangé. Qui l'aurait élevé, cet enfant ?

— Mon fils est vivant, répondit sèchement Varti,
en remontant son châle.

Puis elle se leva pour débarrasser la table.

— Quelqu'un l'a vu ! Quelqu'un l'a reconnu, il
était enfermé dans une maison à Bakou. Il y a deux
ans, deux ans à peine. Il est vivant, mais sans doute

attaché, enfermé, ajouta-t-elle en ramassant mon assiette à toute vitesse.

Elle se rapprocha de moi et murmura rapidement, comme si sa voix allait lui être enlevée d'une minute à l'autre.

—Il faut trouver autre chose à échanger. Je cherche, croyez-moi, je ne fais que ça. Mais je n'ai pas grand-chose. Que des bêtes et je dois les garder si je veux nourrir ma Hasmig... Elle est tout ce qu'il reste de ma chair, c'est elle qui prendra soin de moi lorsque je ne pourrai plus penser, vous comprenez. Et mon fils vieillit. Vous savez, si à cette minute il marchait devant la maison, je pourrais ne pas le reconnaître ! Je dois me dépêcher, le temps passe.

Elle continua à s'activer en jetant des coups d'œil par la fenêtre. Je ne savais plus quoi penser de cette Varti : dérangée ou désespérée. Probablement un peu des deux.

L'arrivée d'un homme interrompit ma pensée, c'était son mari. Varti me présenta sommairement à lui en fuyant mon regard et le sien. Sa parole se faisait de plus en plus nerveuse. Elle lui dit que je m'apprêtais à partir tout en secouant ses vêtements pour en faire tomber les miettes. Sans réfléchir, je rebouchai mon stylo, fermai mon cahier de notes aux pages vierges et me dressai sur mes pieds. À peine avais-je fait quelques pas qu'un étrange étourdissement m'empêcha de quitter la scène. Le mari m'offrit son aide et m'encouragea à me rasseoir. Il me regarda avec les yeux doux d'un homme incompris puis, dans un mouvement brut, se retourna vers sa femme et la gifla sans pudeur.

—Tu lui as raconté? hurla-t-il. Hasmig, *our é*? Faut-il que tu fasses disparaître ta fille parce que tu as perdu ton fils?

Il prit la dernière assiette qui restait sur la table et la jeta contre le mur. Hasmig sortit de la chambre où elle s'était enfermée puis quitta la maison sans un mot. Je suffoquais. En regardant Varti et son mari, je n'arrivais plus très bien à distinguer leurs traits communs, leurs traits arméniens. On aurait dit que le temps avait volé leurs ressemblances et avait posé sur leur visage la mémoire de la terre, celle qui reçut pendant la guerre tout le poids des corps morts.

La mère se cambra devant la fenêtre, silencieuse, impassible. L'homme, déconcerté, me demanda si j'allais mieux. *Ayo*. Alors je me levai pour partir, enfin.

En franchissant la porte, je m'excusai auprès de lui. Je lui expliquai que je n'avais pas voulu troubler leur paix. Je leur souhaitai bonne chance en retenant mes larmes. Il me répondit qu'il ne voulait rien entendre sur la chance. Il rétorqua aussi que je n'avais bouleversé aucune paix. Dans leur maison, chaque parole résonnait comme une arme, ils étaient habitués. C'était la voix des étrangers maintenant qui sonnait faux.

— Voyez, à présent je suis gâté. C'est moi qu'ils auraient dû enlever, poursuivit-il encore.

Il m'offrit de repasser prendre un café le lendemain, mais il se ravisa rapidement en disant qu'il ne valait mieux pas. Il s'excusa de nouveau d'avoir été dur. Il parlait en regardant sa femme.

Je fis à peine quelques pas dans la noirceur avant d'être éblouie par la lumière vive d'une lampe de poche. Hasmig se tenait devant moi et dévoilait mes larmes de son faisceau jaune.

—Ce n'est pas toi qui devrais pleurer, lâcha-t-elle, impitoyable.

Mes sanglots augmentèrent de plus belle. Elle me tendait un mouchoir en souriant légèrement.

—Tu sais, ça va aller. Ça va aller. Ne t'en fais pas pour nous.

— Mais toi, arrivai-je à marmonner, tu ne regrettes pas, j'espère.

— Avoir cet enfant et qu'on me le prenne, non, je ne regrette pas. Ma mère aurait aimé que je lui ressemble, mais je rêvais à autre chose. J'ai fait ce choix pour moi, c'était la première fois, dit-elle en me dévisageant.

J'arrivai à esquisser un sourire malgré l'angoisse qui me tenaillait toujours. Je voyais bien l'absurde de la situation : elle me réconfortait alors que j'aurais dû la serrer dans mes bras. Mais elle semblait dure comme le fer. Je respirais à grands coups pour reprendre mes esprits.

— Ne t'en fais pas pour moi, reprit Hasmig. Il y a des jours où c'est plus calme, ici.

Soudain, j'entendis mon prénom dans le noir. C'était Taniela, la femme qui m'hébergeait. Elle était venue me rejoindre, par chance.

Je cherchai un mot grave ou plein de bonté à dire à Hasmig en guise d'au revoir, mais je finis par lui souhaiter simplement une bonne soirée. Je me sentais rompue et ridicule.

J'avançai lentement vers Taniela. À mi-chemin, je me retournai pour voir encore l'image de cette jeune femme que j'aurais pu être, mais elle me tournait le dos, sa lumière dans une main et un seau dans l'autre. La tête haute, elle marchait vers les bêtes. Il fallait bien les nourrir.

TABLE DES MATIÈRES

❖

Achevé d'imprimer sur les presses
de Transcontinental Métrolitho
à Sherbrooke, Québec, Canada
troisième trimestre 2008